hablar
japonés

en quince días

MÉTODOS ROBERSTON

EDICIONES
LU

Llibreria Universitària
BARCELONA

© 2005 Ediciones Librería Universitaria, S.L.
Aribau, 17 – 08011 Barcelona
Tel. 93 453 20 27 – Fax 93 323 55 57
info@edicioneslu.com
www.edicioneslu.com

Depósito legal: B-12.902-2005
ISBN 84-96445-09-7
EAN 9788496445093

Printed in Spain-Impreso en España

Presentación

*Si usted cree que el mundo es ya pequeño, no deje olvidado este "librito" en la estantería de la biblioteca o sobre la mesa del despacho. Llévelo siempre consigo, le será muy útil. Le sacará de más de un apuro y le granjeará la admiración de algún amigo o compañero de viaje. En sus desplazamientos de trabajo o de placer, en sus viajes turísticos o de negocios fuera del país, será un auxiliar de gran valía y un complemento indispensable a sus conocimientos de lengua japonesa. **HABLAR JAPONES EN 15 DIAS** es un libro para hablar japonés . No es un tratado lingüístico o gramatical, es un manual para habla japonés.*

Saber desenvolverse bien en el restaurante en el aeropuerto, en los grandes almacenes, en el museo, ante el quiosco o en la gasolinera, dice mucho y muy bien de uno.

Y si además quiere hacer ejercicio de memoria, trate de aprender frases, cuantas más mejor, y verá cómo, sin darse cuenta, aumenta sus conocimientos de japonés y toma soltura y confianza en si mismo. Este libro contiene una vastísima "colección" de frases de uso corriente en la agencia de viajes, en el taller de reparaciones, en la aduana, en la estación en el hotel, en el restaurante, en la ciudad, en correos, en los almacenes, etc. También se ha incorporado un resumen de gramática cuya utilidad práctica está fuera de toda discusión.

Índice temático

Temas ilustrados

En la agencia de viajes

旅行代理店にて

Deseo salir para Inglaterra, Francia, los Estados Unidos... el día...
1 イギリス、フランス、アメリカ合衆国へ向けて、...日に出発したい。
2 *Iguirisu, Furansu, Amerika-gassyûkoku he mukete ... ni syuppatsu sitai.*

Me interesa ir en avión.
1 飛行機で行きたいと思います。
2 *Hikouki de ikitaito omoimasu.*

Me gustaría salir la semana próxima.
1 来週出発したい。
2 *Raisyû syuppatsu sitai.*

¿Podría hacerme un itinerario del viaje y presupuesto?
1 旅程と予算を組んでいただけますか？
2 *Ryotei to yosan wo kunnde itadakemasuka?*

Un viaje a "forfait".
1 パック・ツアーでお願いします。
2 *Pakku-tsuâ de onegai simasu.*

Sólo ida, pues es posible que desde allí me dirija a otro país.
1 あちらから別の国へ向かうかもしれないので、片道だけで結構です。
2 *Achirakara betsu no kuni e mukau kamosirenainode katamichi dakede kekkou desu.*

Todo completo y en hoteles de segunda categoría.
1 全て込、二級ホテルでお願いします。
2 *Subete komi, ni-kyû hoteru de onegai-simasu.*

¿Cuántos días desea destinar a ese viaje?
1 何日間ご旅行の予定ですか？
2 *Nannichi-kan go-ryokou no yotei desuka?*

¿Cuánto cuesta todo?
1 全部でいくらですか？
2 *Zenbu de ikura desuka?*

De no poder salir, ¿me devolverán el importe del billete?
1 キャンセルをした場合、旅費を返していただけますか？
2 *Kyanseru wo sita-bâi ryohi wo kaesite itadake-masuka?*

Perfectamente, mañana pasaré a recoger el pasaje.
1 明日切符を引き取りに来ます。
2 *Asu kippu wo hikitori-ni ki-masu.*

Quisiera hacer un viaje de recreo por...
1 ...周辺を観光旅行したい。
2 *...Syûhen wo kankou-ryokou sitai.*

¿Qué ciudades me aconseja que visite?
1 お勧めの街はどこですか？
2 *Osusume no machi wa doko desuka?*

Quisiera visitar la región...
1 ...地方を訪れたい。
2 *...Chihou wo otozure-tai.*

Resérveme dos plazas para el autocar del día...
1 ...日のバスに二席予約を取ってください。
2 *...Nichi no basu ni futaseki yoyaku wo totte-kudasai.*

旅行　自動車

¿Me podría facilitar folletos turísticos?
1　観光パンフレットをいただけますか?
2　*Kankou panfuretto wo itadake-masuka?*

El viaje*

旅行

En automóvil   自動車

El parachoques.　　　1　バンパー。
　　　　　　　　　　　2　*Banpâ.*
El guardabarros.　　　1　泥よけ。
　　　　　　　　　　　2　*Doroyoke.*
El radiador　　　1　冷却機。
　　　　　　　　2　*Reikyaku-ki.*
La rueda.　　　　1　車輪。
　　　　　　　　2　*Syarin.*
Los faros.　1　ヘッドライト。
　　　　　　2　*Heddoraito.*
Las luces de posición.　1　パーキングライト。
　　　　　　　　　　　　2　*Pâkingu-raito.*
La luz trasera.　　1　バックライト。
　　　　　　　　　2　*Bakku-raito.*
El intermitente.　　1　ウインカー。
　　　　　　　　　2　*Uinkâ.*
La matrícula.　　1　ナンバープレート。
　　　　　　　　2　*Nanbâ-purêto.*
La cerradura.　　1　ロック。
　　　　　　　　2　*Rokku.*
La cubierta del motor (el "capot"). 1　カポーテ。
　　　　　　　　　　　　　　　　　　2　*Kapôte.*
El parabrisas.　　1　フロントガラス。
　　　　　　　　2　*Furonto-garasu.*

---

* Ver p. 47, **La llegada** y p. 50 **La aduana.**

La portezuela.　1　ドアー。
　　　　　　　　　2　*Doâ.*
El portaequipajes.　1　トランク。
　　　　　　　　　　2　*Toranku.*
El tanque de gasolina.　1　ガソリンタンク。
　　　　　　　　　　　2　*Gasorin-tanku.*
El volante.　1　ハンドル。
　　　　　　　2　*Handoru.*
La bocina.　1　クラクション。
　　　　　　2　*Kurakusyon.*
El indicador de gasolina.
　1　ガソリンメーター。
　2　*Gasorin-mêtâ.*
El indicador de aceite.　1　オイルメーター。
　　　　　　　　　　2　*Oiru-mêtâ.*
El indicador de temperatura.
　1　温度計。
　2　*Ondo-kei.*
El cuenta velocidades.　1　速度計。
　　　　　　　　　2　*Sokudo-kei.*
El contacto.　1　点火スイッチ。
　　　　　　2　*Tenka-suicchi.*
El acelerador.　1　アクセル。
　　　　　　2　*Akuseru.*
La palanca del cambio de marchas.
　1　変速レバー。
　2　*Hensoku-rebâ.*
La palanca del freno.　1　ブレーキレバー。
　　　　　　　　　2　*Burêki-rebâ.*
El acelerador de pie.　1　アクセルペダル。
　　　　　　　　　2　*Akuseru-pedaru.*
El embrague.
　1　クラッチ。
　2　*Kuracchi.*
El ventilador.
　1　換気設備。
　2　*Kanki-setsubi.*

旅行　自動車

El filtro de aire.　　1　エアフィルター。
　　　　　　　　　　　2　*Eâ-firutâ.*
La batería o el acumulador.
　1　バッテリー。
　2　*Batterî*
El alumbrado cruce-carretera.
　1　ドライビングライト。
　2　*Doraibingu raito.*
El retrovisor.　　1　バックミラー。
　　　　　　　　　2　*Bakku-mirâ.*
La refrigeración.　　1　冷却器。
　　　　　　　　　　　2　*Reikyaku-ki.*
La caja de cambios.　　1　ギアボックス。
　　　　　　　　　　　　2　*Guia-bokkusu.*
La marcha atrás.　1　バック。
　　　　　　　　　　2　*Bakku.*
La suspensión.　　1　サスペンション。
　　　　　　　　　　2　*Sasupensyon.*
El amortiguador.　　1　ダンパー。
　　　　　　　　　　　2　*Danpâ.*
El diferencial.　　1　差動装置。
　　　　　　　　　　2　*Sadou-souchi.*
El bastidor.　1　車台。
　　　　　　　　2　*Syadai.*
El motor.　1　モーター。
　　　　　　2　*Môtâ.*
Las bujías.　1　点火プラグ。
　　　　　　　2　*Tenka-puragu.*
Las válvulas.　1　バルブ。
　　　　　　　　2　*Barubu.*
El cárter.　1　クランク室。
　　　　　　　2　*Kuranku-sitsu.*
La bomba de aceite.
　1　オイルポンプ。
　2　*Oiru-ponpu.*
La biela.　1　クランク。
　　　　　　2　*Kuranku.*

El pistón.   1 ピストン。
           2 *Pisuton.*
La dínamo.   1 発電機。
           2 *Hatsudenki.*
La bobina.   1 コイル。
           2 *Koiru.*
El eje de transmisión.   1 伝動装置。
                             2 *Dendou-souchi.*
El árbol de levas.   1 カムシャフト。
                    2 *Kamu-syafuto.*
El cigüeñal.   1 シャフト。
           2 *Syafuto.*
La radio, la antena.   1 ラジオ、アンテナ。
                    2 *Rajio, antena.*
El tornillo.   1 ねじ。
           2 *Neji.*
El destornillador.   1 ねじ回し。
                  2 *Neji-mawasi.*

En el trayecto

道路で

Autopista.
  1 高速道路。
  2 *Kousoku-douro.*
Carretera general.
  1 国道。
  2 *Kokudou.*
Carretera comarcal.   1 県道。
                      2 *Kendou.*

Peaje.
  1 通行料。
  2 *Tsûkou-ryou.*
Cruce.
  1 交差点。
  2 *Kousaten.*

旅行　自動車　行程

Precaución, obras.
1 注意、工事中。
2 *Chûi, koujityû.*

Escalón lateral.
1 左右の段差。
2 *Sayû no dansa.*

Aparcamiento.
1 駐車場。
2 *Chûsya-jou.*

¿Haría el favor de indicarme la carretera de...?
1 ...へ行く道を教えていただけますか？
2 *...E iku michi wo osiete itadakemasuka?*

¿Cuántos kilómetros hay hasta...?
1 ...までは何キロありますか？
2 *...Made wa nan-kiro ari masuka?*

¿Es buena la carretera o está muy accidentada?
1 道の状態は良いですか、悪いですか？
2 *Michi no joutai ha yoi desuka, warui desuka?*

¿Está a mucha altura la cima del puerto...?
1 ...峠の頂上の高度は大分ありますか？
2 *...Tougue no choujou no koudo wa daibu arimasuka?*

¿Peligrosa?
1 危険ですか？
2 *Kiken desuka?*

¿Helada?
1 凍結していますか？
2 *Touketsu site imasuka?*

¿Cómo se llama esta comarca?
1 ここは何県ですか？
2 *Koko wa naniken desuka?*

¿Es llana, montañosa?
1 平地ですか、山地ですか？
2 *Hei-chi desuka, san-chi desuka?*

¿Dónde puedo comprar un mapa de carreteras?
1 道路地図はどこで購入できますか？
2 *Douro chizu wa dokode kounyû dekimasuka?*

Muchas gracias por su información.
1 情報をありがとうございました。
2 *Jouhou wo arigatou gozai-masita.*

Geografía general

1. Cordillera 山脈
2. Pico 山頂
3. Volcán 火山
4. Embalse ダム
5. Fuente 泉
6. Laguna 潟
7. Arroyo 小川
8. Meseta 台地
9. Cascada 滝
10. Pueblo 村
11. Lago 湖
12. Valle 谷
13. Río 川
14. Afluente 合流
15. Catarata 滝
16. Garganta 峡谷
17. Rápidos 急流
18. Sima 深淵
19. Cañón 峡谷
20. Desierto 砂漠
21. Oasis オアシス
22. Dunas 砂丘
23. Colina 丘
24. Montaña 山
25. Desfiladero 山間の道

旅行　自動車　行程

地理一般

1. Océano 大洋
2. Golfo 湾
3. Península 半島
4. Farallón 尖頭岩
5. Isla 島
6. Canal 運河
7. Acantilado 断崖
8. Archipiélago 列島
9. Escollos 暗礁
10. Islote 無人島
11. Bahía 入り江
12. Cala 小湾
13. Playa 砂浜
14. Escarpadura 内岸
15. Mar 海
16. Faro 灯台
17. Puerto 港
18. Ciudad 都市
19. Ensenada 浦
20. Tómbolo 砂州
21. Pantano 沼
22. Desembocadura 河口
23. Delta 三角州
24. Río 河川
25. Arrecifes 岩礁

旅行　自動車　行程

¿Hay cerca de aquí un surtidor de gasolina?
1 この近くにガソリンスタンドはありますか？
2 *Kono chikaku ni gasorin-sutando wa arimasuka?*

¿Hay en este pueblo algún taller de reparación de coches?
1 この街に自動車整備工場はありますか？
2 *Kono machi ni jidou-sya seibi-koujou wa arimasuka?*

¿Cuál es la carretera más recta para alcanzar la costa?
1 海岸へ最もまっすぐに出る道はどれですか？
2 *Kaigan e mottomo massugu ni deru michi ha doredesuka?*

¿Qué playa es la más bonita en esta parte?
1 この地方で一番美しい砂浜はどれですか？
2 *Kono chihou de ichiban utsukusî sunahama wa dore desuka?*

¿Cuánto tiempo se necesita para ir a ...?
1 ...へ行くにはどのくらい時間がかかりますか？
2 *...He iku niwa donokurai jikan ga kakarimasuka?*

¿Qué localidad me recomienda para pernoctar?
1 夜を楽しむにはどの街を勧められますか？
2 *Yoru wo tanosimu niwa donomachi wo susume -rare masuka?*

Estación de servicio

サービス
ステーション

La estación de servicio.
1 サービスステーション。
2 *Sâbisu-sutêsyon.*

旅行　自動車　ガソリンスタンド

Quiero 40 litros de gasolina y dos de aceite.
1 ガソリン40リットルとオイルを2リットル入れて下さい。
2 *Gasorin 40 rittoru to oiru wo 2 rittoru irete kudasai.*

Compruebe el nivel de aceite.
1 油圧を点検して下さい。
2 *Yuatsu wo tenken sitekudasai.*

Revisen los frenos por favor.
1 ブレーキを点検して下さい。
2 *Burêki wo tenken sitekudasai.*

El limpiaparabrisas no funciona.
1 ウィンドブレーカーが動きません。
2 *Uindo-burêkâ ga ugoki-masen.*

Laven el coche.
1 洗車をお願いします。
2 *Sensya wo onegai-simasu.*

Compruebe la batería.
1 バッテリーを点検して下さい。
2 *Batterî wo tenken site-kudasai.*

Hagan un engrase general.
1 全体に油を差してください。
2 *Zentai ni abura wo sasite-kudasai.*

Haga el favor de revisar la presión de aire de los neumáticos.
1 タイヤの空圧を点検して下さい。
2 *Taiya no kûatsu wo tenken site-kudasai.*

Ponga agua en el radiador.
1 冷却器に水を入れて下さい。
2 *Reikyaku-ki ni mizu wo irete-kudasai.*

El automóvil   自動車

A. Esquema de un cupé a tracción delantera
前輪駆動のクーペ図解

1. Carrocería 車体
2. Capó ボンネット
3. Filtro del aire al carburador
エアフィルター
4. Faros ヘッドライト
5. Matrícula
ナンバープレート
6. Ventilador del motor
エンジン換気装置
7. Chasis シャシー
8. Rueda 車輪
9. Neumático タイヤ
10. Tambor de freno
ドラムブレーキ
11. Tracción delantera
ターンハンドル
12. Cables ケーブル
13. Eje del volante
ハンドル軸
14. Parabrisas
フロントガラス
15. Ventanilla 窓
16. Asiento delantero
前部座席
17. Ventanilla trasera
バックガラス
18. y 19. Ruedas traseras 後輪
20. Tapa de la rueda
タイヤカバー
21. Amortiguador ダンパー
22. Tubo de entrada de la gasolina
ガソリンハイプ
23. Depósito del combustible
燃料タンク
24. Tubo de circulación del líquido de los frenos hidráulicos
油圧ブレーキのオイルハイプ
25. Volante ハンドル

26. Respaldo 背もたれ
27. Maneta de la puerta
ドアハンドル
28. Ventanilla 窓
29. Asiento delantero
前部座席
30. Asiento trasero
後部座席
31. Rueda delantera 前輪
32. Guardabarro 泥よけ
B. Esquema del motor y sus complementos
エンジン周辺図解
33. Depósito de gasolina
ガソリンタンク
34. Carburador
キャブレター
35. Válvula ピストン
36. Bujía 点火プラグ
37. Cable de la bujía a la bobina
点火プラグとコイルを繋ぐケーブル
38. Radiador 冷却器
39. Resorte de la válvula
ピストンばね
40. Platillo del resorte
ばね受け
41. Engranaje del árbol de levas ギアボックス
42. y 46. Cojinetes
ベアリング
43. Tubo de conductor del aceite a los cojinetes
ベアリングのオイルハイプ
44. Cárter クランク室
45. Piñon del cigüeñal
クランクピニオン
47. Codo del cigüeñal
クランク継ぎ手
48. Dinamo 発電機
49. 50, 55 y 57. Cables de conexión. 接続ケーブル
51. Masa o conexión de negativos マイナス接続

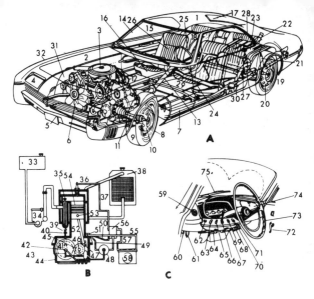

52.	Biela ヘダルクランク
53.	Eje del pistón ヒストン軸
54.	Pistón ヒストン
56.	Bobina コイル
58.	Acumulador エネルギー蓄積器
C.	Tablero de mandos e indicadores 操縦表示盤
59.	Salida de aire caliente 熱気解放口
60.	Toma de corriente コンセント
61.	Mando de apertura del capó ボンネット開閉機
62.	Mando para el líquido ワイハー液のスイッチ
63.	Interruptor de los limpiaparabrisas ワイハースイッチ
64.	Starter ウィンカー
65.	Luces de carretera 速度ライト
66.	Palanca de las luces intermitentes ターンライトレバ
67.	Palanca del freno de mano 手動ブレーキレバー
68.	Mando de regulación de la temperatura,
69.	Ventilador 換気扇
70.	Luces de posición ハーキングライト
71.	Toma de aire 空気取り入れ口
72.	Manivela クランクハンドル
73.	Volante ハンドル
74.	Tapa de la guantera グローブボックスの蓋
75.	Limpiaparabrisas ワイハー

旅行　自動車　修理と整備

En el taller de reparaciones

自動車整備工場

Mi coche está con avería a ...kilómetros de aquí.
1 ここから… キロのところで自動車が故障しました。
2 *Kokokara ...kiro no tokoro de jidou-sya ga kosyou simasita.*

Mecánico, míreme el motor.
1 整備士さん、モーターを見て下さい。
2 *Seibi-si san, môtâ wo mite-kudasai.*

Que se oye un ruido extraño. Observe.
1 おかしな音がします、見てください。
2 *Okasina oto ga simasu, mite-kudasai.*

¿Cuánto tiempo durará la reparación?
1 修理にどのくらい時間がかかりますか？
2 *Syûri ni dono kurai jikan-ga kakari-masuka?*

El coche no arranca.
1 エンジンがかからない。
2 *Enjin ga kakara-nai.*

El radiador pierde.
1 冷却器から水漏れする。
2 *Reikyaku-ki kara mizu-more suru.*

El embrague no funciona.
1 クラッチが作動しない。
2 *Kuracchi ga sadou sinai.*

Necesita lámparas nuevas.
1 替えの電球が必要です。
2 *Kae no denkyû ga hitsuyou desu.*

旅行　自動車　事故

En caso de accidente
事故の場合

¿Dónde está la Comisaría
de policía más próxima?
1　最も近い警察署はどこ
ですか？
2　*Mottomo chikai keisatsu-syo wa doko-desuka?*

Haga el favor de llamar a un médico.
1　医者を呼んで下さい。
2　*Isya wo yonde-kudasai.*

Se ha producido un accidente a ...kilómetros de
aquí y hay heridos graves.
1　ここから...キロのところで重傷を伴う事故が起きました。
2　*Kokokara ...kiro no tokoro de jûsyou wo tomonau
jikoga oki-masita.*

Hay heridos leves.
1　軽傷者がいます。
2　*Keisyou-sya ga imasu.*

¿Dónde está el hospital más próximo?
1　最も近い病院はどこですか？
2　*Mottomo chikai byou-in wa dokodesuka?*

Sírvase telefonear a una ambulancia.
1　救急車を呼んで下さい。
2　*Kyûkyû-sya wo yonde-kudasai.*

¿Está usted herido?
1　けがをしましたか？
2　*Kega wo simasitaka?*

Mi Compañía de Seguros es ... Aquí está la
póliza.
1　私の保険会社は、...です、ここに証書があります。
2　*Watasi no hoken-gaisya ha ...desu. Kokoni syousyo
ga arimasu.*

¿Ha sido usted testigo del accidente?
1　あなたは事故を目撃しましたか？
2　*Anata ha jiko wo mokugueki simasitaka?*

旅行　飛行機　空港

¿Puede decirme su nombre y su dirección?
1　名前と住所をお願いします。
2　*Namae to jûsyo wo onegai simasu.*

¿Puede usted remolcar mi coche? Está con avería a …kilómetros de aquí.
1　私の自動車を牽引してもらえますか？ここから…キロのところにあります。
2　*Watasi no jidou-sya wo ken-in site morae-masuka? Kokokara …kiro no tokoro ni arimasu.*

En avión*   飛行機

En la compañía de aviación
航空会社で

¿Hay plazas para el primer avión de mañana con destino a…?
1　…行き明朝一番の便に空席はありますか？
2　*…Iki myouchou ichiban no bin ni kûseki wa arimasuka?*

Déme una a nombre de…
1　…の名前で予約を取りたい。
2　*…No namae de yoyaku wo toritai.*

¿A qué hora sale el avión para …?
1　…行きの飛行機は何時に出ますか？
2　*..Iki no hikouki wa nan-ji ni de-masuka?*

¿Con cuánta antelación se ha de estar en el aeropuerto?
1　空港にどのくらい前につく必要がありますか？
2　*Kûkou ni donokurai maeni tsuku hitsuyou ga arimasuka?*

¿Está muy apartado el aeropuerto de la ciudad?
1　空港は市街から離れていますか？
2　*Kûkou wa sigai kara hanarete imasuka?*

---

* Véase también p. 47, **La llegada**. En avión.

旅行 飛行機 空港

En el aeropuerto
空港で

Autocar.
1 自動車。
2 *Jidou-sya.*
Estación aérea.
1 飛行場。
2 *Hikou-jou.*
Vuelo charter.
1 チャーター便。
2 *Châtâ-bin.*
Vuelo suspendido.
1 欠航。
2 *Kekkou.*
El piloto.
  1 パイロット。
  2 *Pairotto.*
El mecánico.
  1 整備士。
  2 *Seibi-si.*
El avión.
  1 飛行機。
  2 *Hikouki.*
La avioneta.
  1 軽飛行機。
  2 *Kei-hikouki.*
El reactor.
  1 ジェット機。
  2 *Jetto-ki.*
El helicóptero.
  1 ヘリコプター。
  2 *Herikoputâ.*
Las pistas de aterrizaje. 1 滑走路。
        2 *Kassou-ro.*
Los motores. 1 エンジン。
    2 *Enjin.*
Las butacas. 1 座席。
    2 *Zaseki.*
Las ventanillas. 1 窓。
    2 *Mado.*

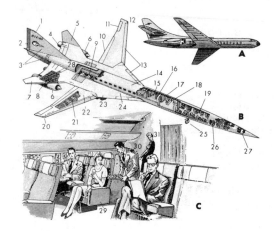

El avión

飛行機

A. Reactor ジェット機
B. Reactor supersónico
    超音機
1. Luz de posición
    ナビゲーションライト
2. Timón de dirección 方向尾
3. Deriva 高度調整翼
4. Equilibrador 水平エンジン
5. Aletas estabilizadoras 可動
    安定板
6. Reactor ジェットエンジン
7. Aleta móvil 可動翼
8. Depósito de combustible
    燃料タンク
9. Tren de aterrizaje 着陸装置
10. Flap フラッペ
11. Alerones 補助翼
12. Luz de posición de estribor
    右舷ナビゲーションライト

13. Aletas anteriores de
    sustentación 前支翼
14. Carlinga 機体胴部
15. Cocina 調理場
16. Entrada 入口
17. y 18. Servicios トイレ
19. Cabina de pasajeros de
    1ª clase
    ファーストクラスラウンジ
20. Luz de posición de babor
    左舷ナビゲーションライト
21. Depósito de carburante
    内燃料タンク
22. Ala 翼
23. Tren de aterrizaje 着陸装置
24. Depósito de carburante
    内燃料タンク
25. Tren de aterrizaje delantero
    前部着陸装置

Las hélices.　1 プロペラ。
　　　　　　　　2 *Puropera.*

Las alas.　1 翼。
　　　　　　2 *Tsubasa.*

El timón de dirección.　1 方向尾。
　　　　　　　　　　　　2 *Houkou-bi.*

El timón de profundidad.　1 高度調整尾。
　　　　　　　　　　　　　2 *Koudo chousei-bi.*

El fuselaje.　1 機体。
　　　　　　　2 *Kitai.*

Las luces de posición.　1 ナビゲーションライト。
　　　　　　　　　　　　2 *Nabiguêsyon raito.*

La cabina del piloto, la carlinga.
　1 操縦室、機体胴部。
　2 *Soujû-sitsu, kitai doubu.*

El departamento de carga.　1 貨物庫。
　　　　　　　　　　　　　2 *Kamotsu ko.*

El hangar.　1 格納庫。
　　　　　　　2 *Kakunou-ko.*

La azafata.　1 スチュワーデス。
　　　　　　　2 *Suchuwâdesu*

El cinturón de seguridad.
　1 シートベルト。
　2 *Sîto beruto.*

¿El avión para...?
　1 ...行きの飛行機は？
　2 *...Iki no hikou-ki wa?*

¿Qué peso admiten libre de pago?
　1 荷物は何キロまで無料ですか？
　2 *Nimotsu wa nan-kiro made muryou desuka?*

旅行　飛行機

¿A qué hora llegaremos a ..?
1 ...には何時に着きますか？
2 ...Niwa nan-ji ni tsuki-masuka?

¿Hacemos el vuelo directo?
1 直行便ですか？
2 Chokkou-bin desuka?

Dése prisa, que nos llaman por el altavoz.
1 急いで下さい。スピーカーで呼んでいます。
2 Isoide-kudasai. Supîkâ de yonde-imasu.

Tarjeta de embarque.　　1 搭乗券。
　　　　　　　　　　　　2 Toujou-ken.

El embarque.
1 搭乗。
2 Toujou.

Vuelo número...
1 ...便。
2 ...Bin.

En el avión

機内で

Salimos a la hora fijada.
1 予定通りに出発します。
2 Yotei douri ni syuppatsu simasu.

¿Falta mucho para llegar?
1 到着までまだ大分ありますか？
2 Touchaku made mada daibu ari-masuka?

Estoy algo mareado.
1 少し酔いました。
2 Sukosi yoi-masita.

Solicite asistencia de la azafata.
1 スチュワーデスに介護を頼んでください。
2 Suchuwâdesu ni kaigo wo tanonde-kudasai.

El avión está descendiendo. Ya llegamos.
1 飛行機は高度を下げています、もうすぐ着きますよ。
2 Hikouki wa koudo wo sagete-imasu, mousugu tsuki-masuyo.

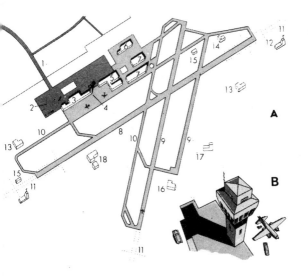

El aeropuerto

飛行場

A. Plano 見取り図

1. Avenida de acceso 入口

2. Zona de estacionamiento
   de vehículos 駐車場

3. Edificio central: oficinas,
   aduanas, bar, restaurante,
   etc.　　中央棟：税関,
   カフェテリア、レストラン、
   等。

4. Torre de mando 司令塔

5. Hangares 格納庫

6. Talleres de reparación
   整備工場

7. Talleres de repaso del
   material de vuelo 点検工場

8. Pista principal
   中央滑走路

9. y 10. Pistas secundarias
   予備滑走路

11. Balizas 空路標識

12. Emisores para definir un
    plano vertical de aterrizaje
    高度レーダー

13. Emisores para definir un
    plano oblicuo de descenso
    位置レーダー

14. Radar. レーダー

15. Radiofaro. ラジオ塔

16. Radiogoniómetro.
    無線探知機

17. Radar de cercanías
    近距離レーダー

18. Estación meteorológica
    気象観測塔

B. Torre control 管制塔

Ya hemos tomado tierra.

1　もう着陸しました。

2　*Mou chakuriku simasita.*

En barco*　　　　　　船で

En la compañía de navegación

航行会社で

¿Dónde se sacan los pasajes para ...?

1　...行きの切符はどこで買うのですか？

2　*...Iki no kippu wa dokode kau no desuka?*

Deseo un pasaje para... ¿Qué días sale barco?

1　行きの切符を一枚下さい。何日に出ますか？

2　*..Iki no kippu wo ichimai kudasai. Nan-nichi ni demasuka?*

Hay servicio regular.

1　定期便があります。

2　*Teiki-bin ga ari-masu.*

Déme una plaza para el de la próxima semana.

1　来週の便に一席取りたい。

2　*Raisyû no bin ni hitoseki toritai.*

¿Puede decirme el nombre del buque?

1　船の名前はわかりますか？

2　*Fune-no namae wa wakari-masuka?*

Pasaje clase turística.

1　ツーリストクラス乗船券。

2　*Tsûrisuto-kurasu jousen-ken.*

¿Qué clases tiene disponibles?

1　何等までありますか？

2　*Nantou made ari-masuka?*

---

*Véase también p.48, **La llegada**. En barco.

旅行　船　船舶会社

Déme uno de primera, con una litera.
1 寝台付きの一等を一枚下さい。
2 *Sindai-tsuki no ittou wo ichi-mai kudasai.*

¿Dónde está situado?
1 どこに位置しますか？
2 *Doko ni ichi-simasuka?*

Bien, resérvemelo.
1 結構です、予約してください。
2 *Kekkou desu, yoyaku site kudasai.*

¿Puede usted darme algunas etiquetas para el equipaje?
1 荷物につける札をもらえますか？
2 *Nimotsu ni tsukeru fuda wo morae-masuka?*

¿A qué hora sale el buque?
1 船は何時に出航しますか？
2 *Fune wa nanji ni syuppatsu simasuka?*

¿Cuánto tiempo dura la travesía?
1 何時間の行程ですか？
2 *Nanjikan no kootei desuka?*

¿Qué día llega el barco a..., y a qué hora?
1 ...へは、何日、何時に到着しますか？
2 *..Ewa nan-nichi, nan-ji ni touchaku simasuka?*

¿Cuántas escalas hace?
1 途中寄港はいくつですか？
2 *Tochû- kikou wa ikutsu desuka?*

¿Se ha de estar en el puerto con mucha antelación?
1 港へ大分前に着く必要がありますか？
2 *Minato e daibu mae ni tsuku hitsuyou ga ari-masuka?*

En el puerto
港で

El puerto
港

1. Interior del puerto 港内
2. Astilleros 造船所
3. Club náutico
   ヨットクラブ
4. Embarcaciones
   deportivas
   競技船
5. Puerto pesquero 漁港
6. Muelle 埠頭
7. Grúas デッキクレーン
8. Compuertas 水門
9. Diques secos
   浮きドック
10. Barco en reparación
    修理中の船
11. Puente grúa
    クレーン橋
12. Ferrocarril del puerto
    港内鉄道
13. Bloques de cemento
    セメントブロック
14. Rompeolas 防波堤
15. Barco de recreo
    遊覧船
16. Faros 灯台
17. Draga 浚渫船
18. Bocana 入港口
19. Velero 帆船
20. Barco mixto de carga y
    pasajeros 貨物客船
21. Barco de guerra 軍艦
22. Buque de carga de
    cabotaje 沿岸貿易船
23. Déposito de petróleo
    石油タンク
24. Petrolero
    石油タンカー
25. Remolcadores 引き船
26. Barco de carga 貨物船
27. Transatlántico
    大西洋横断船
28. Estación marítima
    船着場

En el puerto. 1 港で。
2 *Minato de.*

El muelle. 1 埠頭。
2 *Futou.*

La estación marítima. 1 船着場。
2 *Funatsuki-ba.*

Las grúas. 1 デッキクレーン。
2 *Dekki kurên.*

El barco, el buque, el paquebote.
1 船、客船、定期船。
2 *Fune, kyakusen, teikisen.*

El transatlántico.	**1** 大西洋横断船。	
	2 *Taiseiyou-oudan-sen*.	
La motonave.	**1** モータボート。	
	2 *Môtâ-bôto*.	
El barco de carga.	**1** 貨物船。	
	2 *Kamotsu-sen*.	
El barco pesquero.	**1** 漁船。	
	2 *Gyo-sen*.	
Los barcos de guerra.	**1** 軍船。	
	2 *Gun-sen*.	
El acorazado.	**1** 戦艦。	
	2 *Sen-kan*.	
El crucero.	**1** 巡航船。	
	2 *Junkou-sen*.	

旅行　船　港

El destructor.	1	駆逐艦。
	2	Kuchiku-kan.
El torpedero.	1	魚雷艇。
	2	Gyorai-tei.
El minador.	1	機雷敷設艦。
	2	Kirai sisetsu-kan.
El submarino.	1	潜水艦。
	2	Sensui-kan.
El buque nodriza.	1	母船。
	2	Bosen.
El portaaviones.	1	航空母艦。
	2	Koukû-bokan.
El guardacostas.	1	沿岸警備艇。
	2	Engan-keibi-tei.
La lancha.	1	ボート。
	2	Bôto.
La lancha rápida.	1	高速ボート。
	2	Kousoku-Bôto.
El petrolero.	1	石油タンカー。
	2	Sekiyu-tankâ.
La canoa.	1	カヌー。
	2	Kanû.
El velero.	1	帆船。
	2	Han-sen.
El remolcador.	1	引き船。
	2	Hiki-fune.
El yate.	1	ヨット。
	2	Yotto.
La barca.	1	ボート。
	2	Bôto.
Embarcaciones deportivas.	1	スポーツ船。
	2	Supôtsu-sen.
La dársena.	1	ドッグ。
	2	Doggu.
Ya estamos en el muelle.	1	もう埠頭に着きました。
	2	Mou futou ni tsuki-masita.
¿Dónde está el barco?	1	船はどこですか？
	2	Fune wa doko-desuka?

旅行　船　港

Es un transatlántico magnífico.
1 豪華な客船ですね。
2 *Gouka na kyaku-sen desu-ne.*

Mozo, tenga mis maletas. Éstas han de ir a la bodega, y éstas otras colóquelas en el camarote 35.
1 ボーイさん、私の荷物はこれです。これらは船倉へ、こちらは35番の船室へ運んで下さい。
2 *Bôi-san, watasi no nomotsu ha koredesu. Korera wa sensou e, kochira wa sanjû-go ban no sensitsu e hakonde kudasai.*

Mozo, acompáñeme al barco.
1 ボーイさん、船まで付き添って下さい。
2 *Bôi-san fune made tsukisotte-kudasai.*

En el barco
船中で

El áncora.	1	錨。
	2	*Ikari.*
La cadena.	1	鎖。
	2	*Kusari.*
La cubierta.	1	甲板。
	2	*Kanpan.*
El puente de mando.	1	ブリッジデッキ。
	2	*Burijji-dekki.*
El camarote.	1	船室。
	2	*Sensitsu.*
La bodega.	1	船倉。
	2	*Sensou.*
La proa.	1	船首。
	2	*Sensyu.*
La popa.	1	船尾。
	2	*Senbi.*

旅行 船 港

El barco   船

A. Barco mixto de carga y
   pasajeros 貨物客船
1. Pabellón nacional 国旗
2. Pabellón de destino
   目的地を示す旗
3. Pabellón de la compañía
   船舶会社旗
4. Proa 船首
5. Bulbo de proa 舳
6. Ancla 錨
7. Grúas para carga
   貨物クレーン
8. Boca del ventilador
   貨物クレーン
9. Puente de mando
   ブリッジデッキ
10. Reflector para señales
    モースランプ
11. Mástil de medidas
    (anemómetro) 風速計
12. Compás コンパス
13. Antena de radiogoniómetro
    無線アンテナ
14. Mástil de proa 船首マスト
15. Banderines de señales
    信号旗
16. Radar レーダー
17. Chimenea 煙突
18. Sirena 霧笛
19. Bar バー
20. Bote salvavidas
    救命ボート
21. Garaje 車庫
22. Antena de radio
    ラジオアンテナ

23. Mástil de popa 船尾マスト
24. Piscina プール
25. Timón 舵柄
26. Hélice プロペラ
27. Motor Diessel
    ディーゼルモーター
28. Depósitos de combustible
    燃料タンク
29. Depósitos de agua
    貯水タンク
30. Bodega de carga de proa
    船首貨物庫
31. Estabilizador 安定装置
32. Sala de máquinas 機械室
33. Generadores ボイラー
34. Máquinas auxiliares 補助機械
35. Eje de la hélice プロペラ軸
36. Popa 船尾
37. Bodega de la carga de popa
    船尾貨物室
38. Camarotes 船室
39. Salón サロン
40. Salón comedor 食堂
41. Camarotes de oficiales
    船員室
42. Cocina 調理場
43. Despensa 食料貯蔵室
44. Almacén 倉庫
45. Baterías バッテリー
46. Frigoríficos 冷蔵庫
B. Distintos tipos de barcos
   様々な種類の船
47. Transatlántico 大西洋横断船
48. Barco hospital 救急船
49. Petrolero 石油タンカー

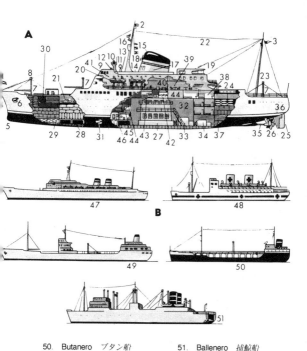

50. Butanero ブタン船   51. Ballenero 捕鯨船

Babor.	1	左舷。
	2	*Sa-guen.*
Estribor.	1	右舷。
	2	*U-guen.*
La brújula.	1	羅針盤。
	2	*Rasin-ban.*
La escotilla.	1	ハッチ。
	2	*Hacchi.*

El timón.　　1　舵。
　　　　　　　　 2　*Kaji.*

La hélice.　　1　スクリュー。
　　　　　　　　 2　*Sukuryû.*

La quilla.　　1　キール。
　　　　　　　　 2　*Kîru.*

Las calderas.　1　ボイラー。
　　　　　　　　 2　*Boirâ.*

La chimenea.　1　煙突。
　　　　　　　　 2　*Entotsu.*

La sirena.　　1　霧笛。
　　　　　　　　 2　*Muteki.*

El trinquete.　1　フォアマスト。
　　　　　　　　 2　*Foa-masuto.*

La mesana.　　1　ミズンマスト。
　　　　　　　　 2　*Mizun-masuto.*

El mástil.　　1　マスト。
　　　　　　　　 2　*Masuto.*

El bote salvavidas.　1　救命ボート。
　　　　　　　　　　　　 2　*Kyûmei-bôto.*

El chaleco salvavidas.
　1　救命胴衣。
　2　*Kyûmei-doui.*

El capitán.
　1　船長。
　2　*Senchou.*

El primer oficial.
　1　一等船員。
　2　*Ittou-senin.*

El sobrecargo.
　1　上乗員。
　2　*Uwanori-in.*

El primer mayordomo (jefe de la despensa).
　1　一等執事 (倉庫管理人)。
　2　*Ittou-sitsuji (Souko-kanri-nin).*

El segundo mayordomo (jefe del comedor).
　1　二等執事 (食堂管理人)。
　2　*Nitou-sitsuji (syokudou-kanri-nin).*

旅行　船

El piloto.	1	操縦士。
	2	*Soujû-si.*
El maquinista.	1	操作員。
	2	*Sousa-in.*
El marinero.	1	船員。
	2	*Sen-in.*
El camarero.	1	ボーイ。
	2	*Bôi.*
La camarera.	1	メイド。
	2	*Meido.*

¿Por qué lado está mi camarote?
1 私の船室はどちら側ですか？
2 *Watadi no sensitsu wa dochira-gawa desuka?*

¿Dónde está el comedor, el bar, la biblioteca, la enfermería, la peluquería, el gimnasio, el salón de té, la piscina, etc.?
1 食堂、バー、図書室、看護室、理髪院、ジム、ティーサロン、プールはどこですか？
2 *Syoku-dou, bâ, tosyo-sitsu, kango-sitsu, rihatsu-in, jimu, tî-saron, pûru wa doko desuka?*

¿Cuándo zarpamos?
1 いつ出航しますか？
2 *Itsu syukkou simasuka?*

¿A qué velocidad navegamos?
1 どのくらいの速度で航海していますか？
2 *Donokurai no sokudo de koukai site imasuka?*

Las literas son cómodas.
1 寝台は快適です。
2 *Sindai wa kaiteki desu.*

Camarero, estoy a régimen y deseo una comida especial. ¿Quién se cuida de esto?
1 ボーイさん、私は食事療法をしていて特別な食事をお願いしたいです。どなたの受け持ちですか？
2 *Bôi-san, watasi wa syokuji-ryouhou wo siteite, tokubetsu na syokuji wo onegai sitai nodesu. Donata no ukemochi desuka?*

旅行　船

¿Está usted mareado?　1　船酔いされましたか？
　　　　　　　　　　　　2　*Funayoi sare masita ka?*
Nunca me mareo.　1　私は酔うことはありません。
　　　　　　　　　　　2　*Watasi wa you koto wa arimasen.*
El mar está picado.　1　海は荒れています。
　　　　　　　　　　　　2　*Umi wa arete imasu.*
El barco cabecea algo, y, sin embargo, no hay olas.
　1　波はないのに、船が揺れています。
　2　*Nami wa nainoni, fune ga yurete imasu.*
Es que hay mar de fondo.
　1　大きなうねりがあるからです。
　2　*Ôkina uneri ga arukara desu.*
Siento dolor de cabeza.
　1　頭が痛い。
　2　*Atama ga itai.*
Eso es principio de mareo.
　1　船酔いの兆候です。
　2　*Funa-yoi no chou-kou desu.*
Siento náuseas. Empiezo a marearme.
　1　吐き気がします、酔ってきました。
　2　*Hakike ga simasu, yotte kimasita.*
Tengo necesidad de ver al médico. ¿Dónde está?
　1　医者にかかる必要があります。どこですか？
　2　*Isya ni kakaru hitsuyou ga arimasu. Doko desuka?*
Ahora el mar parece una balsa de aceite.
　1　海は穏やかです。
　2　*Umi wa odayaka desu.*
¿Tiene usted unos prismáticos?
　1　双眼鏡をお持ちですか？
　2　*Sougan-kyou wo omochi desuka?*
Tengo ya ganas de pisar tierra.
　1　早く陸を踏みたいものです。
　2　*Hayaku riku wo fumitai mono desu.*
Mañana, al amanecer, llegaremos a...
　1　明日、明け方に ...へ着きます。
　2　*Asu, akegata ni ... e tsuki-masu.*

旅行　電車　駅

Venga usted a estribor.   1　右舷へ来て見てください。
2　*Uguen e kitemite kudasai.*
¿Qué ocurre?   1　どうしましたか？
2　*Dou sima-sitaka?*
Hay una puesta de sol magnífica.
1　素晴しい日没ですよ。
2　*Subarasî nichi-botsu desuyo.*
¿A qué velocidad navega este barco?
1　この船は、どのくらいの速度で航海していますか？
2　*Kono fune wa donokurai no sokudo de koukai site imasuka?*
¿Dónde está la piscina?   1　プールはどこですか？
2　*Pûru wa doko desuka?*
¿A qué hora llegaremos?
1　何時に着きますか？
2　*Nanji ni tsuki masuka?*

En tren*   電車

En la estación
駅で

La estación.   1　駅。
2　*Eki.*
El andén.   1　ホーム。
2　*Hômu.*
Las vías.   1　線路。
2　*Senro.*
Los raíles.   1　レール。
2　*Rêru.*
La marquesina.   1　日除け。
2　*Hiyoke.*
El tren.   1　電車。
2　*Den-sya.*

* Véase también p. 49, **La llegada.** En tren.

旅行 電車 駅

La estación

駅

A. Vestíbulo de estación 駅
1. Reloj 時計
2. Taquillas 切符売り場
3. Consigna 荷物預り所、コインロッカー
4. Cambio de moneda 両替所
5. Entrada 改札口
6. Vigilante de andén 駅員
7. Cuadro de horarios 時刻表
B. Interior de un vagón 車内
8. Departamento コンパートメント
9. Asiento 座席
10. Respaldo 背持たれ

11. Portaequipajes 荷物棚
12. Señal de alarma 警報
13. Ventanilla 窓
14. Mesita plegable 折り畳みテーブル
15. Cenicero 灰皿
C. Andén ホーム
16. Entrada 入口
17. Tablón de avisos 掲示板
18. Sala de espera 待合室
19. Poste indicador 標識
20. Jefe de estación 駅長
21. Paso subterráneo 地下通路
22. Venta de libros y revistas 新聞、雑誌売り場

El expreso.	1	急行列車
	2	Kyûkou-ressya.
El correo.	1	郵便列車
	2	Yûbin-ressya.
La locomotora.	1	機関車
	2	Kikan-sya.
El ténder.	1	炭水車
	2	Tansui-sya.
El furgón.	1	貨物車
	2	Kamotsu-sya.
Los vagones.	1	客車
	2	Kyaku-sya.
El autovía.	1	ディーゼルカー
	2	Dîzeru-ká
El maquinista.	1	運転士
	2	Unten-si
El fogonero.	1	火夫
	2	Kafu
El jefe de la estación.	1	駅長
	2	Eki-chou

El revisor. 1 車掌。
2 *Syasyou.*
El empleado. 1 駅員。
2 *Eki-in.*
El guardagujas. 1 転轍手。
2 *Tentetsu-syu.*
El mozo. 1 ポーター。
2 *Pôtâ.*
El cuadro de horarios. 1 時刻表。
2 *Jikoku-hyou.*
El viajero. 1 旅行者。
2 *Ryokou-sya.*
El baúl. 1 トランク。
2 *Toranku.*
La maleta. 1 スーツケース。
2 *Sûtsu-kêsu.*

旅行　電車　駅

El tren

電車

1. Estación 駅
2. Andén ホーム
3. Paso subterráneo 地下通路
4. Vías 線路
5. Paso de andén ホーム通路
6. Toma de agua 水栓
7. Agujas ポイント
8. Mando de agujas 転轍機
9. Grúa クレーン
10. Parachoques 緩衝器
11. Estación de mercancías 貨物駅
12. y 13. Vías de servicio, 業務用線路
14. Báscula 計量台

15. Puente de hierro 鉄橋
16. Viaducto 陸橋
17. Túnel トンネル
18. Postes telegráficos 電柱
19. Guardabarreras 遮断機
20. Paso a nivel 立体交差
21. Barreras 踏切
22. Poste de señales 信号柱
23. Puente 橋
24. Vagón de viajeros 客車
25. Furgón postal 郵便車
26. y 28. Vagón de carga 貨物車
27. Vagón cisterna タンク車

El maletín.　1　手提げ鞄
　　　　　　　　2　*Tesague-kaban.*
El equipaje.　1　荷物
　　　　　　　　2　*Nimotsu.*
El cable eléctrico.　1　電気コード
　　　　　　　　　　　2　*Denki-kôdo.*
La taquilla.　1　切符売り場
　　　　　　　　2　*Kippu-uriba.*
El billete.　1　切符
　　　　　　　2　*Kippu.*
Ida y vuelta.　1　往復
　　　　　　　　2　*Oufuku.*

Sala de espera.
　1　待合室
　2　*Machiai-sitsu.*
La consigna de equipajes　1　荷物預り所。
　　　　　　　　　　　　　　2　*Nimotsu-azukari-jo.*

¿Dónde está la ventanilla?
　1　窓口はどこですか？
　2　*Madoguchi wa doko-desuka?*

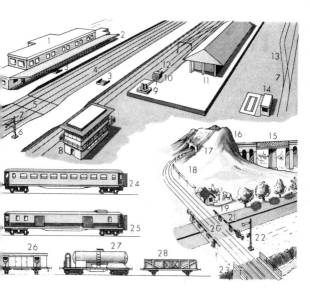

¿Despachan aquí billetes para...?
1 ...行きの切符はここで買えますか？
2 ..Iki no kippu wa kokode kae masuka?

Déme tres primeras.
1 一等を三枚下さい。
2 Ittou wo san-mai kudasai.

¿Cuánto vale un billete para...?
1 ...行きの切符は一枚いくらですか？
2 ...Iki no kippu wa ichi-mai ikura desuka?

En primera, en segunda, en tercera, en coche cama, en coche pullman.
1 一等、二等、三等、寝台車、特別車。
2 Ittou, ni-tou, san-tou, sindai-sya, tokubetsu-sya.

¿Hay transbordo en el trayecto?
1 行程に乗り換えはありますか？
2 Koutei ni norikae wa ari-masuka?

旅行　電車　駅

¿A qué hora sale el tren?
 1 電車は何時に出ますか？
 2 *Densya wa nan-ji ni de-masuka?*

¿De qué vía sale?
 1 何番線から出ますか？
 2 *Nanban-sen kara de-masuka?*

¿Dónde está el quiosco de periódicos? Deseo comprar una guía de ferrocarriles.
 1 新聞、雑誌の売店はどこですか？鉄道ガイドを買いたいのです。
 2 *Sinbun, zassi no baiten wa doko-desuka? Tetsudou-gaido wo kaitai no-desu.*

Acompáñeme al tren.
 1 電車まで付き添って下さい。
 2 *Densya made tsukisotte kudasai.*

Primera, segunda, tercera clase.
 1 一等車、二等車、三等車。
 2 *Ittou-sya, nitou-sya, santou-sya.*

Son dos, tres, cuatro, cinco bultos.
 1 荷物は一つ、二つ、三つ、四つ、五つです。
 2 *Nimotsu wa hitotsu, futatsu, mittsu, itsutsu-desu.*

En el tren

電車で

Primera clase.	1	一等車。
	2	*Ittou-sya.*
Segunda clase.	1	二等車。
	2	*Nitou-sya.*
El departamento.	1	コンパートメント。
	2	*Konpâtomento.*

La puerta.
 1 ドア。
 2 *Doâ.*

La ventanilla.
 1 窓。
 2 *Mado.*

旅行　電車

Plaza reservada.　　　1　予約席。
　　　　　　　　　　　　　2　*Yoyaku-seki.*

El asiento.　　　1　座席。
　　　　　　　　　2　*Zaseki.*

La litera.　　　1　寝台。
　　　　　　　　2　*Sindai.*

¿No hay coche restaurante, coche salón?
　1　食堂車、サロン車はありますか？
　2　*Syokudou-sya, saron-sya wa ari-masuka?*

Aquí no se puede fumar.　　　1　ここは禁煙です。
　　　　　　　　　　　　　　　2　*Koko wa kinen desu.*

¿Le molesta que esté abierta la ventanilla?
　1　窓を開けると迷惑ですか？
　2　*Mado wo akeru-to meiwaku-desuka?*

Entra mucho aire y polvo.
　1　風と埃がたくさん入ります。
　2　*Kaze to hokori ga takusan hairi-masu.*

Deseo dormir.
　1　眠りたい。
　2　*Nemuri-tai.*

Este asiento está reservado.
　1　この席は予約済みです。
　2　*Kono-seki wa yoyaku-zumi desu.*

Si usted quiere podemos apagar la luz.
　1　よろしければ、電気を消しましょう。
　2　*Yorosikereba denki wo kesi-masyou.*

Estas maletas son mías.
　1　これらの荷物は、私のです。
　2　*Korera no nimotsu wa watasi no desu.*

¿Puedo poner aquí mis maletas?
　1　ここに鞄を置いても構いませんか？
　2　*Kokoni kaban wo oite-mo kamai-masenka?*

¿Cuántas estaciones faltan para llegar a...?
　1　...まであと何駅ありますか？
　2　*...Made ato nan-eki ari-masuka?*

Faltan cuatro. Llegaremos dentro de una hora.
　1　あと四駅です。一時間以内に着きます。
　2　*Ato yon-eki desu. Ichi-jikan inai ni tsuki-masu.*

¿Qué estación es ésta?
  1　ここは、何駅ですか？
  2　*Koko wa nani-eki desuka?*
Deseo subir.　1　乗ります。
             2　*Nori-masu.*
Deseo bajar.　1　降ります。
             2　*Ori-masu.*
Deseo ir al retrete.　1　トイレに行きたい。
                     2　*Toire ni iki-tai.*
Deseo lavarme.　1　手を洗いたい。
                2　*Te wo arai-tai.*
Quisiera llegar pronto.
  1　早く着きたいものです。
  2　*Hayaku tsukitai mono-desu.*
Ya hemos llegado.　1　もう着きました。
                2　*Mou tsuki-masita.*
¿Me permite bajar?　1　すみません、ここでおります。
                 2　*Sumimasen, kokode ori-masu.*
Buen viaje, señores.　1　皆さん、良いご旅行を。
                 2　*Minasan, yoi go-ryokou wo.*

Cambio de tren

電車乗り換え

Tren directo.
  1　直行電車。
  2　*Chokkou-densya.*
En la próxima estación debemos cambiar de tren.
  1　次の駅で乗り換えをしなくてはなりません。
  2　*Tsugui no eki de norikae wo sinakete wa nari-masen.*
¡Mozo! Indíqueme el tren que va a...
  1　駅員さん、…行の電車はどれか教えてください。
  2　*Eki-in san, ..iki no densya wa dore ka osiete kudasai.*

到着

¿Podemos subir ya?
  1 もう乗れますか？
  2 *Mou nore-masuka?*
¿Va este tren directo a...?
  1 この電車は...に直行しますか？
  2 *Kono densya wa ...ni chokkou simasuka?*

La llegada*

到着

En automóvil   自動車で

Guardia, tenga la bondad de decirnos dónde está el Hotel...
  1 巡査、...ホテルはどこか教えてください。
  2 *Junsa, ...hoteru wa dokoka osiete-kudasai.*
¿Podría indicarme un hotel de primera categoría, de segunda, de tercera, una pensión?
  1 一級、二級、三級ホテル、民宿を紹介していただけますか？
  2 *Ikkyû, nikyû, san-kyû-hoteru, min-syuku wo syoukai site itadake masuka?*

---

*Véase también p. 50, **La aduana**; y p. 103, **Medios de locomoción**.

En avión   飛行機 で

Hemos de pasar por la aduana. Los altavoces ya nos avisarán.
1 税関を通る必要があります。スピーカーで呼び出しがあるでしょう。
2 *Zeikan wo tôru hitsuyou ga ari-masu. Supîkâ de yobidasi ga aru desyou.*

Oiga, señor, ¿dónde está el lavabo?
1 すみません、トイレはどこですか？
2 *Sumi-masen, toire wa doko-desuka?*

¿Está muy lejos la ciudad del aeropuerto?
1 市街まで空港から遠いですか？
2 *Sigai made kûkou kara tôi-desuka?*

¿Dónde he de retirar el equipaje?
1 どこで荷物を引き取るのですか？
2 *Dokode nimotsu wo hikitoru no desuka?*

Se ha perdido mi maleta.
1 私の荷物が無くなりました。
2 *Watasi no nimotsu ga nakunari-masita.*

¿Podemos bajar ya?
1 もう降りられますか？
2 *Mou orirare-masuka?*

Chófer. Llevéme al Hotel...
1 運転手さん、...ホテルへお願いします。
2 *Untensyu-san, ...hoteru e onegai-simasu.*

En barco   船 で

Estamos entrando ya en el puerto.
1 もう港へ入りますよ。
2 *Mou minato e hairi masuyo.*

到着　電車

¿Tardaremos mucho en poder desembarcar, oficial?

1　上陸までまだ大分かかりますか？

2　*Jouriku dekiru made mada daibu kakari-masuka?*

Antes hemos de pasar por los trámites de sanidad y de inmigración, y a continuación por la aduana.

1　上陸する前に、衛生検査、入国審査、続いて税関を通る必要があります。

2　*Jouriku suru mae ni eisei-kensa, nyûkoku-sinsa, tsuzuite zeikan wo tôru hitsuyou ga arimasu.*

¿Cuánto tiempo libre tenemos?

1　自由時間はどのくらいありますか？

2　*Jiyû jikan wa donokurai ari-masuka?*

¿Dónde podemos recoger el pasaporte?

1　旅券はどこで受け取るのですか？

2　*Ryoken wa dokode uketoru no desuka?*

Mozo, retíreme el equipaje del camarote y de la bodega. Tengo cinco bultos. Aquí tiene mi pasaje.

1　ボイさん、私の荷物を船室と船倉から出して下さい。合計５つです。私の切符はこれです。

2　*Bôi san, watasi no nimotsu wo sensitsu to sensou kara dasite-kudasai. Goukei itsutsu desu. Watasi no kippu wa kore-desu.*

En tren　　　　　　　　　　　　　　電車で

¿Falta mucho para llegar?

1　着くまでにはまだかかりますか？

2　*Tsuku made-niwa mada kakarimasuka?*

税関　国境

Voy a bajar.
1　ここで下ります。
2　*Koko-de orimasu.*

¡Mozo! ¡Mozo!
1　ボーイさん、ボーイさん。
2　*Bôi-san, bôi-san.*

Tome usted mis maletas, y búsqueme un taxi.
1　荷物を持って下さい、それからタクシーを拾ってください。
2　*Nimotsu wo motte-kudasai, sorekara, takusî wo hirotte-kudasai.*

La aduana*
La frontera

税関
国境

La aduana.
1　税関。
2　*Zeikan.*

El vista de aduana.
1　税関検査官。
2　*Zeikan-sinsa-kan.*

El equipaje.
1　荷物。
2　*Nimotsu.*

El baúl.
1　トランク。
2　*Toranku.*

La maleta.
1　スーツケース。
2　*Sûtsu-kêsu.*

La cámara fotográfica.
1　カメラ。
2　*Kamera.*

La filmadora.
1　録画機。
2　*Rokuga-ki.*

El bolso.
1　ハンドバック。
2　*Hando-bakku.*

---

*Véase también p. 47, **La llegada**.

税関　国境

La cartera.　　1　財布。
　　　　　　　　　　2　*Saifu.*
El bastón.　　　1　杖。
　　　　　　　　　　2　*Tsue.*
El paraguas.　　1　傘。
　　　　　　　　　　2　*Kasa.*
El viajero.　　　1　旅行者。
　　　　　　　　　　2　*Ryokou-sya.*
La revisión.　　1　審査。
　　　　　　　　　　2　*Sinsa.*
El pasaporte.　　1　パスポート、旅券。
　　　　　　　　　　2　*Pasu-pôto, ryoken.*
La documentación.　　1　身分証明。
　　　　　　　　　　　　　2　*Mibun-syoumei.*

Ya estamos en la frontera.
　1　もう国境に着きました。
　2　*Mou kokkyou ni tsuki-masita.*

Hemos de pasar por la aduana.
　1　税関を通る必要があります。
　2　*Zeikan wo tôru hitsuyou ga ari-masu.*

Me acompañan mi mujer y mi hija.
　1　妻と娘を同伴します。
　2　*Tsuma to musume wo douhan simasu.*

El objeto de mi viaje es ... Mis datos personales son ...
　1　旅行の目的は...です。私の個人データはこれです。
　2　*Ryokou no mokuteki wa ... desu. Watasi no kojin dêta wa koredesu.*

Vacaciones, turismo, ampliación de estudios, asuntos familiares.
　1　休暇、観光、留学、家族訪問。
　2　*Kyûka, kankou, ryûgaku, kazoku-houmon.*

Mis datos personales son...
　1　私の個人データはこれです。
　2　*Watasi no kojin dêta wa kore-desu.*

Pienso estar ...días en este país.
　1　この国には、...日間滞在する予定です。
　2　*Kono-kuni niwa ...nichikan taizai suru yotei-desu.*

税関　国境

Visado de entrada.   1　入国ビザ。
　　　　　　　　　　　　2　*Nyûkoku-biza.*
El permiso internacional de conducción.
　1　国際運転許可証。
　2　*Kokusai unten kyoka-syou.*
La documentación del automóvil.
　1　自動車の証明書。
　2　*Jidousya no syoumei-syo.*
¿Hemos de bajar del coche?
　1　車から下りる必要がありますか?
　2　*Kuruma kara oriru hitsuyou ga ari-masuka?*
¿Revisarán en seguida el equipaje?
　1　すぐに荷物の点検がありますか?
　2　*Sugu-ni nimotsu no tenken ga arimasuka?*
No llevo nada que declarar.
　1　申請する品は何もありません。
　2　*Sinsei suru sina wa nanimo ari-masen.*
Examine.
　1　点検して下さい。
　2　*Tenken site-kudasai.*
No llevo tabaco, licores.
　1　たばこ、酒類は持っていません。
　2　*Tabako, sake-rui wa motte i-masen.*
No llevo moneda extranjera.
　1　外国通貨は持っていません。
　2　*Gaikoku tsûka wa motte i-masen.*
Llevo seis mil...
　1　6千...を所持しています。
　2　*Roku-sen ... Wo syoji site imasu.*
En este baúl hay prendas de mi uso personal,
ropa blanca, un traje, y dos pares de zapatos.
　1　このトランクには、私服が入っています、白い服、スーツ、
靴二足。
　2　*Kono toranku niwa sifuku ga haitte imasu, siroi fuku,*
sûtsu, kutsu ni-soku.
¿Debo abrir el maletín?
　1　スーツケースを開ける必要がありますか?
　2　*Sûtsu-kêsu wo akeru hitsuyou ga ari-masuka?*

ホテル

Vea usted.   1   見て下さい。
　　　　　　　 2   *Mite-kudasai.*
¿Hay algo que pague derechos?
　1   関税を払う必要のあるものはありますか？
　2   *Kanzei wo harau hitsuyou no aru-mono wa ari-masuka?*
¿Puedo cerrar la maleta?
　1   鞄を閉じてもかまいませんか？
　2   *Kaban wo tojite-mo kamai-masenka?*
¿Cuánto he de pagar de derechos?
　1   関税はいくらですか？
　2   *Kanzei wa ikura desuka?*
¿Dónde está la oficina de cambio de moneda?
　1   両替所はどこですか？
　2   *Ryougae-jo wa doko desuka?*
Haga el favor de cambiarme... en moneda del país.
　1   ...をこの国の通貨に替えて下さい。
　2   *...Wo kono kuni no tsūka ni kaete-kudasai.*
¿Qué cambio ha cotizado?
　1   今日のレートはいくらですか？
　2   *Kyou no rêto wa ikura desuka?*

En el hotel*

ホテルで

Hotel de primera, segunda, tercera.
　1   一級、二級、三級ホテル。
　2   *Ikkyû, nikyû, san-kyû-hoteru.*
El vestíbulo.   1   ロビー。
　　　　　　　　　 2   *Robî.*

---

* Véase también p. 67, **En el restaurante** y p. 83, **En la ciudad**.

El portero. El conserje.
1 守衛。
2 *Syuei.*

El botones.
1 ベルボーイ。
2 *Beru-bôi.*

La dirección.
1 住所。
2 *Jûsyo.*

La caja.
1 会計。
2 *Kaikei.*

El intérprete.
1 通訳。
2 *Tsû-yaku.*

El camarero.
1 ボーイ。
2 *Bôi.*

La camarera.
1 メイド。
2 *Meido.*

El ascensor.
1 エレベーター。
2 *Erebêtâ.*

La escalera.
1 階段。
2 *Kaidan.*

El bar americano.
1 アメリカンバー。
2 *Amerikan-bâ.*

El comedor.
1 食堂。
2 *Syokudou.*

El primer piso.
1 一階。
2 *Ikkai.*

Las habitaciones.
1 客室。
2 *Kyaku-sitsu.*

Las habitaciones interiores y exteriores.
1 内側の客室、外側の客室。
2 *Uchi-gawa no kyaku-sitsu, soto-gawa no kyaku-sitsu.*

El pasillo.
1 通路。
2 *Tsûro.*

El cuarto de baño.
1 バスルーム。
2 *Basu-rûmu.*

El lavabo.
1 トイレ。
2 *Toire.*

La radio.
1 ラジオ。
2 *Rajio.*

ホテル　フロント

El televisor.　　1　テレビ。
　　　　　　　　　　2　*Terebi.*
El teléfono.　　1　電話。
　　　　　　　　　　2　*Denwa.*

Recepción　　　　　　　　　　　フロント

La recepción.
　1　フロント。
　2　*Furonto.*
La administración.　　1　事務。
　　　　　　　　　　　　　2　*Jimu.*
Tengo reservada una habitación a nombre de...
　1　...の名前で一部屋予約を入れてあります。
　2　*...No namae de hito-heya yoyaku wo irete ari-masu.*
Deseo una habitación con cama y cuarto de baño.
　1　ベッドとバスルーム付きの部屋をお願いします。
　2　*Beddo to basu-rûmu tsuki no heya wo onegai-simasu.*
Quisiera dos habitaciones con baño.
　1　バス付きを二部屋お願いします。
　2　*Basu-tsuki wo futa-heya onegai simasu.*
Dos habitaciones con comunicación interior.
　1　内部でつながった二部屋。
　2　*Naibu de tsunagatta futa-heya.*
Una habitación con dos camas o cama de matrimonio.
　1　ツイン、又はスゥイート、一部屋。
　2　*Tsuin, mata-wa suîto, hito-heya.*
¿Cuánto importa la habitación? ¿Y la pensión?
　1　宿泊料はいくらですか？　食事はいくらですか？
　2　*Syukuhaku-ryou wa ikura-desuka? Syokuji wa ikura-desuka?*

¿Todo incluido?
1 料金には全て含まれていますか？
2 *Ryoukin niwa subete fukumarete i-masuka?*

Mi nombre y apellido son...
1 私の氏名は、...です。
2 *Watasi no simei wa ...desu.*

Treinta años.   1 ３０才。
2 *San-jussai.*

Soltero. Casado. Viudo. 1 独身、既婚、やもめ。
2 *Dokusin, kikon, yamome.*

Industrial.   1 実業家。
2 *Jitsugyou-ka.*

El motivo del viaje es turismo, negocios...
Procedo de...
1 旅行の目的は、観光、ビジネス...です。...から来ました。
2 *Ryokou no mokuteki wa, kankou, bizinesu,*
...desu. ...Kara ki-masita.

¿Podría indicarme dónde está el consulado
de...?
1 ...国の領事館はどこにあるのか教えていただけますか？
2 *...Koku no ryouji-kan wa doko-ni arunoka osiete-*
itadake-masuka?

Haga subirme el equipaje.
1 荷物を上げてもらえるようお願いします。
2 *Nimotsu wo aguete moraeru you onegai-simasu.*

Me gusta esta habitación.
1 この部屋が気に入りました。
2 *Kono heya ga kini-iri masita.*

¿Hará el favor de despertarme a las seis, a las
siete y media...?
1 明日、6時、7時半に起こしてください。
2 *Asu, roku-ji, hichi-ji han ni okosite-kudasai.*

Agua fría.
1 冷水。
2 *Rei-sui.*

Agua caliente.
1 温水。
2 *On-sui.*

ホテル　就寝

¿Podrían limpiarme los zapatos?
   1　靴を磨いていただけますか？
   2　*Kutsu wo migaite itadake masuka?*

¿Está ahora abierta la caja del hotel? Deseo entregar cierta cantidad.
   1　今ホテルの会計は開いていますか？　まとまった金額を支払いたいのです。
   2　*Ima hoteru no kaikei wa hiraite i-masuka? Matomatta kingaku wo siharai tai no-desu.*

¿Quiere guardarme usted ese dinero? Ahí tiene mi tarjeta. El número de habitación es el...
   1　このお金を預かっていただけますか？　私の名刺はこれです。部屋番号は、...番です。
   2　*Kono okane wo azukatte itadake-masuka? Watasi no meisi ha kore-desu. Heya-bangou wa ...Ban-desu.*

¿Puede decirme dónde hay un garaje cerca del hotel?
   1　この近くの駐車場を教えていただけますか？
   2　*Kono chikaku no chûsya-jou wo osiete itadake-masuka?*

Deseo alquilar un automóvil con chófer, sin chófer.
   1　運転手付き、運転手無しの自動車を借りたい。
   2　*Untensyu tsuki, untensyu.nasi no jidou-sya wo kari-tai.*

Al acostarse　　　　　　　　　　　　　　就寝

El dormitorio.
   1　寝室。
   2　*Sin-sitsu.*
La cama.
   1　ベッド。
   2　*Beddo.*

ホテル　就寝

La cama de matrimonio.
1 ダブルベッド。
2 *Daburu-beddo.*

La almohada. 1 枕。
2 *Makura.*

El somier. 1 マットレス台。
2 *Mattoresu-dai.*

Las sábanas. 1 シーツ。
2 *Sîtsu.*

La manta. 1 毛布。
2 *Moufu.*

La colcha. 1 ベッドカバー。
2 *Beddo-kabâ.*

El edredón. 1 布団。
2 *Futon.*

La alfombra, alfombrilla.
1 じゅうたん、マット。
2 *Jûtan, matto.*

La mesita de noche. 1 ナイトテーブル。
2 *Naito-têburu.*

Los sillones, las butacas. 1 ひじ掛け椅子。
2 *Hijikake-isu.*

El armario. 1 洋服だんす。
2 *Youfuku-dansu.*

El tocador. 1 鏡台。
2 *Kyou-dai.*

El despertador. 1 目覚まし時計。
2 *Mezamasi-dokei.*

El balcón. 1 ベランダ。
2 *Beranda.*

La terraza. 1 テラス。
2 *Terasu.*

La ventana. 1 窓。
2 *Mado.*

Siento frío. Póngame otra manta en la cama.
1 寒いです。ベッドにもう一枚毛布を入れて下さい。
2 *Samui-desu. Beddo ni mou ichi-mai moufu wo irete kudasai.*

ホテル　寝室

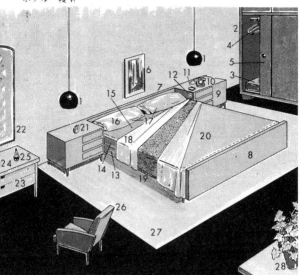

El dormitorio　　　　　寝室

1. Lámpara 電気
2. Armario 洋服だんす
3. Cajón 引き出し
4. Colgador 洋服掛け
5. Puerta corredera 引き戸
6. Cuadro 絵
7. Cabezal de la cama ベッド
   頭部
8. Cama ベッド
9. Mesita de noche
   ナイトテーブル
10. Teléfono 電話
11. Cenicero 灰皿
12. Interruptores スイッチ
13. Jergón スプリングマット

14. Colchón マットレス
15. y 18. Sábanas シーツ
16. Almohadón クッション
17. Almohadas 枕
19. Manta 毛布
20. Colcha ベッドカバー
21. Despertador 目覚まし時計
22. Espejo 鏡
23. Tocador 鏡台
24. Joyero 宝石箱
25. Vaporizador スプレー
26. Butaca 安楽椅子
27. Alfombra じゅうたん
28. Florero 花瓶

Estoy cansado. Dormiré bien.
  1 疲れました。良く眠れるでしょう。
  2 *Tsukare masita. Yoku nemureru desyou.*
Hacen mucho ruido, no se puede dormir.
  1 うるさくて眠れません。
  2 *Urusakute nemure-masen.*

El cuarto de baño   バスルーム

La bañera.   1 浴槽。
                     2 *Yokusou.*
Los grifos.   1 蛇口。
                     2 *Jaguchi.*
La ducha.   1 シャワー。
                     2 *Syawâ.*
El water o lavabo.   1 便器。
                         2 *Benki.*
El espejo.   1 鏡。
                     2 *Kagami.*
Las toallas.   1 タオル。
                     2 *Taoru.*
El toallero.   1 タオルかけ。
                     2 *Taoru-kake.*
El jabón.   1 石鹸。
                     2 *Sekken.*
La jabonera.   1 石鹸入れ。
                         2 *Sekken-ire.*
La esponja.   1 スポンジ。
                     2 *Suponji.*
El servicio.   1 トイレ。
                     2 *Toire.*
El cepillo para los dientes.
  1 歯ブラシ。
  2 *Ha-burasi.*
La pasta dentífrica.   1 歯磨粉。
                             2 *Hamigaki-ko.*

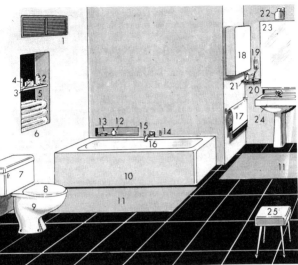

El cuarto de baño

バスルーム

1. Ventilación 換気扇
2. Agua de colonia 香水
3. Loción 化粧水
4. Polvos de talco
   タルカムパウダー
5. Repisa 棚
6. Toallas para baño
   バスタオル
7. Depósito de agua
   水洗タンク
8. Tapa del W. C. 便器の蓋
9. Cubeta 便器
10. Bañera 浴槽
11. Alfombra o estera マット
12. Sales de baño 入浴
13. Jabón 石鹸

14. Llave del agua caliente
    温水コック
15. Llave del agua fría
    冷水コック
16. Grifo 蛇口
17. Toalla タオル
18. Armario バ棚
19. Interruptor y enchufe
    コンセントとスイッチ
20. Cepillo de dientes
    歯ブラシ
21. Loción y masaje
    化粧水とマッサージオイル
22. Lámpara 電気
23. Espejo 鏡
24. Lavabo 洗面器
25. Taburete 足台

El peine.　1　櫛。
　　　　　　2　*Kushi.*
El cepillo para el cabello.　1　ヘアブラシ。
　　　　　　　　　　　　　　　2　*Hea-burashi.*
El bidé.　1　ビデ。
　　　　　　2　*Bide.*
El guante para fricción.　1　摩擦用手袋。
　　　　　　　　　　　　　　2　*Masatsu you te-bukuro.*
Sales para baño.　1　入浴剤。
　　　　　　　　　2　*Nyûyoku-zai.*
Cepillo para masaje.　1　マッサージブラシ。
　　　　　　　　　　　2　*Massâji-burashi.*
Polvos de talco.　1　タルカムパウダー
　　　　　　　　　2　*Tarukamu-paudâ.*
¿Dónde está el cuarto de baño?
　1　バスルームはどこですか？
　2　*Basu-rûmu wa doko desuka?*
Prepáreme usted jabón y toallas.
　1　石鹸とタオルを用意して下さい。
　2　*Sekken to taoru wo youi-site kudasai.*
Esta toalla es pequeña.
　1　このタオルは小さ過ぎます。
　2　*Kono taoru wa chîsa sugui-masu.*
Déme una toalla grande para el baño.
　1　バス用に大きなタオルをください。
　2　*Basu you ni ôkina taoru wo kudasai.*

El desayuno*　　　　　　　　　　　朝食

¿Qué hora es?　1　何時ですか？
　　　　　　　　2　*Nanji desuka?*
Tráigame el desayuno.　1　朝食をお願いします。
　　　　　　　　　　　　2　*Chou-syoku wo onegai-simasu.*
Un café.　1　コーヒー。
　　　　　　2　*Kôhî.*

---

*Véase también p. 67, **En el restaurante** y p. 109 **El bar.**

ホテル　各種サービス

Chocolate. 1 ホットチョコレート。
             2 *Hotto-chocorêto.*

Café con leche, un panecillo y mantequilla.
1 ミルクコーヒー、パンとバター。
2 *Miruku-kôhî, pan to batâ.*

Tráigame un panecillo. 1 パンを下さい。
                           2 *Pan wo kudasai.*

Quiero pan tostado. 1 トーストが欲しい。
                     2 *Tôsuto ga hosii.*

Quiero chocolate y leche.
1 ホットチョコレートと牛乳が欲しい。
2 *Hotto-chokorêto to gyûnyû ga hosii.*

Déme bizcochos. 1 カステラを下さい。
                  2 *Kasutera wo kudasai.*

Huevos fritos, huevos con jamón.
1 目玉焼、ハムエッグ。
2 *Medamayaki, hamu-eggu.*

Tostadas. Miel. 1 トースト、蜂蜜。
            2 *Tôsuto, hachimitsu.*

Por favor, tráigame un yogur.
1 ヨーグルトを下さい。
2 *Yôguruto wo kudasai.*

Un paquete de cigarrillos. 1 たばこ一箱。
                             2 *Tabako hito-hako.*

Servicios   各種サービス

El lavado de la ropa
クリーニング

Hagan el favor de recoger mi ropa para lavar.
1 クリーニングに出す服を回収して下さい。
2 *Kurîningu ni dasu fuku wo kaisyû site kudasai.*

Aquí tiene usted la lista.
1 ここにリストしてあります。
2 *Kokoni risuto site arimasu.*

Hay dos camisas.   1 シャツ2枚。
2 *Syatsu ni-mai.*

Cuatro pares de calcetines.   1 靴下4足。
2 *Kutsusita ni-soku.*

Dos calzoncillos.   1 パンツ2枚。
2 *Pantsu ni-mai.*

Ocho pañuelos.   1 ハンカチ8枚。
2 *Hankachi hachi-mai.*

Dos camisetas.   1 Tシャツ2枚。
2 *Tī-syatsu ni-mai.*

Dos pijamas.   1 パジャマ2着。
2 *Pajama ni-chaku.*

Me es muy urgente.
1 急を要します。
2 *Kyû wo you simasu.*

Para escribir una carta

手紙を書く

Tráigame papel y sobres.
1 便箋と封筒を持ってきて下さい。
2 *Binsen to fûtou wo mottekite kudasai.*

¿A cuántos estamos?   1 今日は何日ですか？
2 *Kyou wa nan-nichi desuka?*

¿Dónde están las postales?
1 絵葉書はどこにありますか？
2 *E-hagaki wa doko ni arimasuka?*

¿Tiene sellos?
1 切手を扱っていますか？
2 *Kitte wo atsukatte imasuka?*

¿Puede usted enviar este telegrama?
1 この電報を打ってていただけますか？
2 *Kono denpou wo utte itadake-masuka?*

ホテル　各種サービス　荷物

Dígame dónde puedo echar estas cartas.
1 どこでこの手紙を出せるか教えてください。
2 *Dokode kono tegami wo daseru ka osiete kudasai.*
Écheme esta carta al correo.
1 この手紙を郵便局へ出して下さい。
2 *Kono tegami wo yûbin kyoku e dasite-kudasai.*

El equipaje

荷物

———————

Mi equipaje está en el coche.
1 私の荷物は車の中です。
2 *Watasi no nimotsu wa kuruma no naka desu.*
Lléveme el equipaje a la habitación, por favor.
1 荷物を部屋へ運んでください。
2 *Nimotsu wo heya e hakonde kudasai.*
¿Está mi equipaje en la habitación?
1 私の荷物は部屋に着いていますか？
2 *Watasi no nimotsu wa heya ni tsuite imasuka?*
¿Dónde está mi equipaje?
1 私の荷物はどこですか？
2 *Watasi no nimotsu wa doko-desuka?*
Vaya con cuidado con esta maleta.
1 このトランクの扱いには注意して下さい。
2 *Kono toranku no atsukai niwa chûi site-kudasai.*
Estas dos maletas van a la habitación n°... y la otra a la ...
1 この２つは...号室へ、もう１つは...号室へお願いします。
2 *Kono futatsu ha ...gou-sitsu e, mou hitotsu wa ...gou-sitsu e onegai-simasu.*

Servicios varios

その他のサービス

Desearía un guía que hable...
1 ...語を話すガイドをお願いしたいのですが。
2 *...Go wo hanasu gaido wo onegai sitai no desuga.*

¿Hay peluquero en el hotel?
1 ホテルに理髪士はいますか？
2 *Hoteru ni rihatsu-si wa imasu-ka?*

Pregunte si hay cartas para mí.
1 私あての手紙があるか聞いて下さい。
2 *Watasi ate no tegami ga aruka kiite kudasai.*

Si pregunta alguien por mí diga usted que volveré en seguida.
1 私を訪ねる人があったら、すぐ戻ると伝えて下さい。
2 *Watasi wo tazuneru hito ga attara, sugu modoru-to tsutaete kudasai.*

Quiero alquilar un automóvil.
1 自動車を借りたい。
2 *Jidousya wo karitai.*

La despedida
出発

Me marcharé mañana a las...
1 明日...時に出発します。
2 *Asu ..ji ni syuppatsu simasu.*

¿Quiere hacerme la factura?
1 請求書を書いていただけますか？
2 *Seikyū-syo wo kaite itadake masuka?*

Creo que se han equivocado; sólo he estado dos días.
1 間違いだと思います、2泊しただけです。
2 *Machigai dato omoi masu, ni-haku sita dake-desu.*

レストラン テーブル

¿Me puede detallar la factura?
1 請求書の明細をお願いできますか？
2 *Seikyû-syo no meisai wo onegai deki-masuka?*

¿Quiere enviar a alguien para que baje el equipaje?
1 荷物を降ろすよう人を呼んでもらえますか？
2 *Nimotsu wo orosu-you hito wo yonde itadake-masuka?*

¿Puedo dejar aquí mis cosas hasta que vuelva?
1 戻って来るまで私物を残しても構いませんか？
2 *Modotte kurumade sibutsu wo nokosite mo kamaimasen-ka?*

Por favor, llame un taxi.
1 タクシーを呼んでください。
2 *Takusî wo yonde kudasai.*

En el restaurante*

レストランで

La mesa   テーブル

El mantel.
1 テーブルクロス。
2 *Têburu-kurosu.*

La servilleta.
1 ナプキン。
2 *Napukin.*

---

* Véase también p. 53, **En el hotel** y p. 109, **El bar.**

レストラン テーブル

El plato.   1 皿。
            2 *Sara.*
El vaso.   1 コップ。
            2 *Koppu.*
La copa.   1 グラス。
            2 *Gurasu.*
La cuchara. 1 スプーン。
            2 *Supûn.*
El tenedor. 1 フォーク。
            2 *Fôku.*
El cuchillo. 1 ナイフ。
            2 *Naihu.*
El vino.   1 ワイン。
            2 *Wain.*
El champán.   1 シャンパン。
              2 *Syampan.*
El agua.   1 水。
            2 *Mizu.*
El agua mineral.   1 ミネラルウォーター。
                   2 *Mineraru-wôtâ.*
El aceite. 1 オイル、油。
            2 *Oiru, abura.*
El vinagre. 1 ビネガー、酢。
            2 *Binegâ, su.*
La cerveza. 1 ビール。
            2 *Bîru.*
La leche.   1 牛乳。
            2 *Gyûnyû.*
El pan.   1 パン。
            2 *Pan.*
La mostaza. 1 マスタード。
            2 *Masutâdo.*
La sal.   1 塩。
            2 *Sio.*
La pimienta.
  1 胡椒。
  2 *Kosyou.*

レストラン 食事

La silla. 1 椅子。
2 *Isu.*
Frío, caliente, tibio. 1 冷たい、熱い、温かい。
2 *Tsumetai, atsui, atatakai.*
Los mondadientes. 1 つまようじ。
2 *Tsumayouji.*

Las comidas   食事

El menú o la minuta.
1 定食。
2 *Tei-syoku.*
Camarero, desearíamos una mesa junto a la ventana.
1 ウェイター、窓際の席をお願いします。
2 *Weitâ, madoguiwa no seki wo onegai simasu.*
¿Dónde podemos sentarnos?
1 どこに座れますか?
2 *Doko ni suware masuka?*
Camarero, déme la carta.
1 ウェイター、メニューを下さい。
2 *Weitâ menyû wo kudasai.*
Tráiganos entremeses variados.
1 前菜の盛合わせをいただきます。
2 *Zensai no moriawase wo itadakimasu.*
Unas chuletas de ternera con patatas fritas.
1 フライドポテトを添えた子牛リブロスステーキ。
2 *Furaido-poteto wo soeta kousi ribu-rôsu sutêki.*
Y a mí, merluza a la romana con un poquito de limón.
1 私は、レモンを添えた鱈のフライをお願いします。
2 *Watasi wa remon wo soeta tara no furai wo onegai-simasu.*

レストラン　食事

La mesa

テーブル

1. Plato sopero スープ皿
2. Plato llano 皿
3. Cuchara スプーン
4. Cuchillo ナイフ
5. Cuchillo para pescado
   魚用ナイフ
6. Cuchillo para postre
   デザートナイフ
7. Cucharilla ティースプーン
8. Cucharilla para postre
   デザートスプーン
9. Tenedor フォーク
10. Tenedor para pescado
    魚用フォーク
11. Tenedor para postre
    デザートフォーク
12. Vinagreras 酢入れ
13. Salero 塩入れ
14. Pimienta 胡椒
15. Copa para champaña
    シャンパングラス
16. Copa para vino blanco
    白ワイングラス
17. Copa agua 水コップ
18. Copa para vino tinto
    赤ワイングラス
19. Servilleta ナフキン
20. Candelabro 大燭台
21. Salsera ソース入れ
22. Mantel テーブルクロス

23. Velas ろうそく
24. Sopera スープボウル
25. Ensaladera サラダボウル
26. Fuente 大皿
27. Tenedor para langosta
    ロブスターフォーク
28. Vasos para aperitivo
    食前酒のグラス
29. Copa para jerez
    シェリーグラス
30. Copa para licor
    リキュールグラス
31. Copa balón
    バルーングラス
32. Jarra de terracota para cer-
    veza
    ビール用テラコッタ壺
33. Jarrita ジョッキ
34. Espátula フライ返し
35. Cazo お玉
36. Cucharón お玉
37. Trinchante
    カビングフォーク
38. Bandeja 盆
39. Pinzas para ensalada
    サラダシェーバー
40. Taza para té ティーカップ
41. Taza para café
    コーヒーカップ
42. Tetera ティーポット

Camarero, tráigame otro plato, un tenedor, un vaso.

1 ウェイターお皿をもう一枚、フォーク、コップをもう一つ持ってきて下さい。

2 *Weitâ, osara wo mou ichi-mai, fôku, koppu wo mou hito-tsu mottekite kudasai.*

レストラン　食事

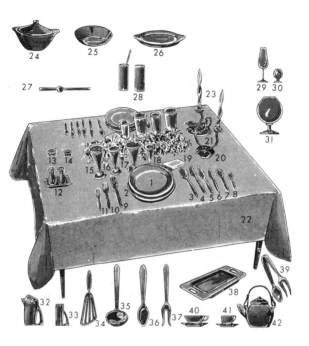

Vino blanco, vino tinto.
1 白ワイン、赤ワイン。
2 *Siro-wain, aka-wain.*
Déme la lista de vinos. 1 ワインリストを見せて下さい。
2 *Wain-risuto wo misete kudasai.*
Tráigame una botella de vino del país.
1 国産ワインをボトルで一本お願いします。
2 *Kokusan-wain wo botoru de ippon onegai simasu.*

Sírvanos los postres.　1　デザートをお願いします。
　　　　　　　　　　　　2　*Dezâto wo onegai simasu.*
A mí lo mismo.　1　私にもお願いします。
　　　　　　　　　2　*Watasi nimo onegai simasu.*
Después sírvanos café.
　1　その後でコーヒーをお願いします。
　2　*Sono atode kôhî wo onegai simasu.*

Lista de platos.　　　　料理一覧

Entremeses

Entremeses.　1　オードブル、前菜。
　　　　　　　　2　*Ôdo-buru, zen-sai.*
Aceitunas.　1　オリーブ。
　　　　　　　2　*Orîbu.*
Anchoas.　1　アンチョビ。
　　　　　2　*Anchobi.*
Caviar (negro, rojo).　1　キャビア（黒、赤）。
　　　　　　　　　　　　2　*Kyabia (kuro, aka).*
Chorizo.　1　サラミ。
　　　　　2　*Sarami.*
Jamón.　1　ハム。
　　　　2　*Hamu.*
Mantequilla.　1　バター。
　　　　　　　2　*Batâ.*
Mortadela.　1　モルタデッラ。
　　　　　　2　*Moruta-derra.*
Ostras.　1　牡蠣。
　　　　2　*Kaki.*
Pepinillos agridulces.
　1　ピクルス。
　2　*Pikurusu.*
Salchichón.
　1　サラミソーセージ。
　2　*Sarami sôsêji.*

レストラン　料理

Sardinas.　1　鰯。
　　　　　　　2　*Iwasi.*

Sopas

Arroz.　1　米。
　　　　　2　*Kome.*
Caldo, consomé.　1　コンソメ。
　　　　　　　　　　2　*Konsome.*
Col.　1　キャベツ。
　　　　2　*Kyabetsu.*
Col y remolacha.　1　キャベツと赤蕪。
　　　　　　　　　　2　*Kyabetsu to akakabu.*
Fideos.　1　細麺。
　　　　　2　*Hosomen.*
Macarrones.　1　マカロニ。
　　　　　　　　2　*Makaroni.*

Legumbres y verduras

Legumbres y verduras.
　1　豆類と野菜。
　2　*Mamerui to yasai.*
Cebollas.　1　玉葱。
　　　　　　2　*Tama-negui.*
Coles.　1　キャベツ。
　　　　　2　*Kyabetsu.*
Coliflor.　1　カリフラワー。
　　　　　2　*Kari-furawâ.*
Espárragos.　1　アスパラガス。
　　　　　　　2　*Asuparagasu.*
Espinacas.　1　ほうれん草。
　　　　　　　2　*Houren-sou.*
Garbanzos.　1　エジプト豆。
　　　　　　　2　*Eejiputo-mame.*
Habas.　1　空豆。
　　　　　2　*Sora-mame.*

Judías secas, tiernas. 1 白いんげん豆、いんげん。
2 *Siro inguen mame, inguen.*

Lechuga. 1 レタス。
2 *Retasu.*

Lentejas. 1 レンズ豆。
2 *Renzu-mame.*

Patatas. 1 じゃがいも。
2 *Jaga-imo.*

Setas. 1 茸。
2 *Kinoko.*

Pastas

Pastas. 1 パスタ。
2 *Pasuta.*

Canelones. 1 カネロニ。
2 *Kaneroni.*

Crepes. 1 クレープ。
2 *Kurêpu.*

Fideos. 1 細麺。
2 *Hosomen.*

Macarrones. 1 マカロニ。
2 *Makaroni.*

Raviolis. 1 ラビオリ。
2 *Rabiori.*

Huevos

Huevos. 1 卵。
2 *Tamago.*

Duros. 1 ゆで卵。
2 *Yudetamago.*

Fritos. 1 目玉焼。
2 *Medama-yaki.*

Pasados por agua.
1 湯通し卵。
2 *Yudôsi-tamago.*

Tortilla. 1 オムレツ。
2 *Omuretsu.*

レストラン　料理

Aves y caza

Aves y caza.
1 鳥類、猟鳥類。
2 *Chou-rui, ryouchou-rui.*

Becada.	1	ヤマシギ。
	2	*Yama-sigui.*
Codorniz.	1	ウズラ。
	2	*Uzura.*
Conejo.	1	兎。
	2	*Usagui.*
Gallina.	1	雌鶏。
	2	*Mendori.*
Liebre.	1	野兎。
	2	*No-usagui.*
Pato.	1	あひる。
	2	*Ahiru.*
Pavo.	1	七面鳥。
	2	*Sichimen-chou.*
Perdiz.	1	ヤマウズラ。
	2	*Yama-uzura.*
Pichón.	1	ひな鳩。
	2	*Hina-dori.*
Pollo.	1	若鶏。
	2	*Waka-dori.*

Pescados y mariscos

Almejas.	1	あさり、はまぐり。
	2	*Asari, hamaguri.*
Anguilas.	1	鰻。
	2	*Unagui.*
Atún.	1	まぐろ。
	2	*Maguro.*
Bacalao.	1	干鱈。
	2	*Hoshi-dara.*

Bonito.
    1 カツオ。
    2 *Katsuo.*

Calamares.
    1 ヤリイカ。
    2 *Yari-ika.*

Cigala.
    1 アカザエビ。
    2 *Akaza-ebi.*

Gambas (fritas o a la plancha).
    1 芝エビ(フライ、又は鉄板焼)。
    2 *Siba-ebi (furai, mata-wa teppan-yaki).*

Langosta, bogavante.
    1 伊勢海老、ロブスター。
    2 *Ise-ebi, robusutâ.*

Langostinos.
    1 車海老。
    2 *Kuruma-ebi.*

Mejillones.
    1 ムール貝。
    2 *Mûru-gai.*

Merluza.
    1 鱈。
    2 *Tara.*

Mero.
    1 鱈。
    2 *Tara.*

Percebes.
    1 エボシガイ。
    2 *Ebosi-gai.*

Pescadilla.
    1 メルラン。
    2 *Meruran.*

Pulpos.
    1 蛸。
    2 *Tako.*

Salmón.
    1 鮭。
    2 *Sake.*

Salmonete.
    1 ヒメジ。
    2 *Himeji.*

Truchas.
    1 鱒。
    2 *Masu.*

Carnes y asados

Buey.
    1 ビーフ。
    2 *Bîfu.*

レストラン　料理

Cerdo. 1 豚。
2 *Buta.*
Cordero. 1 羊。
2 *Hitsuji.*
Ternera. 1 子牛。
2 *Ko-usi.*
Costillas de cerdo. 1 豚リブロース。
2 *Buta ribu-rôsu.*
Filete de ternera.
1 子牛ステーキ。
2 *Ko-usi sutêki.*
Escalope. 1 ポークカツ。
2 *Pôku-katsu.*
Chuleta de cordero.
1 羊あばら肉。
2 *Hitsuji abara-niku.*
Filete de buey, bistec.
1 ビーフステーキ。
2 *Bîfu-sutêki.*
Pierna de carnero.
1 雄羊の足。
2 *O-hitsuji no asi.*
Lomo de cerdo. 1 豚フィレ。
2 *Buta-fire.*
Lomo de ternera. 1 子牛フィレ。
2 *Kousi-fire.*
Asado. 1 ロースト。
2 *Rôsuto.*
Callos. 1 胃袋の煮込み。
2 *Ibukuro no nikomi.*
Lechón. 1 乳飲み豚。
2 *Chinomi-buta.*
Lengua. 1 タン。
2 *Tan.*
Riñones. 1 キドニー。
2 *Kidonî.*
Sesos. 1 脳。
2 *Nou.*

レストラン　料理

La carne 肉

A. Buey ビーフ	26. Cabeza 頭
1. Morro 鼻肉	27. Tapa もも肉
2. Papada 肉垂	28. Corvejón すね肉
3. Pescuezo 首	39. Falda 肋肉
4. Agujas スペアリブ	30. Pecho 胸肉
5. Pecho 胸肉	C. Cordero 羊
6. Espaldilla 肩肉	31. Lomo ヒレ肉
7. Morcillo すね肉	32. Espaldar 背肉
8. Falda 肋肉	33. Pierna もも
9. Costillar 背肉	34. Costillas リブロース
10. Solomo ヒレ肉	35. Espaldilla 肩肉
11. Solomillo ヒレ肉	36. Cabeza 頭
12. Lomo bajo 背肉	37. Faldilla 肋肉
13. Cadera 腰肉	38. Cuello 首
14. Contratapa 尻肉	39. Patas 足
15. Badilla 股肉	D. Cerdo 豚
16. Corvejón すね肉	40. Jamón もも肉
17. Hígado レバー	41. Paletilla 肩肉
18. Lengua タン	42. Lomo 背肉
19. Seso 脳	43. Solomillo ヒレ肉
B. Ternera 子牛	44. Magra de cuello 首の赤身
20. Culata 尻肉	45. Papada 肉垂
21. Filete ヒレ肉	46. Cabeza 頭
22. Lomo 背肉	47. Ventresca 腹部
23. Solomillo ヒレ肉	48. Jarrete o codillo すね肉
24. Espaldilla 肩肉	49. Pies 足
25. Pescuezo 首	

Bistec con ensalada.
1 サラダを添えたステーキ。
2 *Sarada wo sueta sutêki.*

Chuleta de carnero con patatas.
1 雄羊リブロースのポテト添え。
2 *Ohitsuji ribu-rôsu no poteto zoe.*

Pollo. 1 若鶏。
2 *Wakadori.*

Quesos

Quesos. 1 チーズ。
2 *Chîzu.*

レストラン　料理

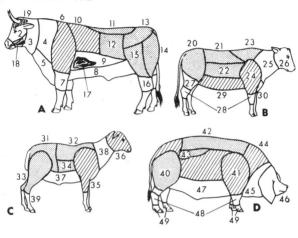

		CARNE DE 3ʳ
CARNE DE 1ª	CARNE DE 2ª	

Camembert.	1	カマンベール。
	2	*Kaman-bêru.*
Gruyere.	1	グルイェル。
	2	*Guru-iêru.*
Holanda.	1	オランダ。
	2	*Oranda.*
Roquefort.	1	ロカフォルト。
	2	*Roka-foruto.*
Suizo.	1	スイス。
	2	*Suisu.*
Manchego.	1	マンチェゴ。
	2	*Manchego.*
Mahón.	1	マオン。
	2	*Maon.*

Roncal. 1 ロンカル。
2 *Ron-karu.*
Cabrales. 1 ミックスチーズ。
2 *Mikkusu-chîzu.*

Postres y helados

Dulces. 1 甘味。
2 *Kan-mi.*
Pastel/Tarta. 1 ケーキ。
2 *Kêki*
Flan/Crema. 1 プリン、クリーム。
2 *Purin, kurîmu.*
Fruta. 1 果物。
2 *Kuda-mono.*
Helados. 1 アイスクリーム。
2 *Aisu-kurîmu.*
El café 1 コーヒー。
2 *Kôhî.*
El té. 1 紅茶。
2 *Kou-cha.*
El azúcar. 1 砂糖。
2 *Satou.*
El licor. 1 リキュール。
2 *Rikyûru.*

Salsas y condimentos

Romescu. 1 ロメスコ。
2 *Romesuko.*
Vinagre. 1 ビネガー、酢。
2 *Binegâ, su.*
Aceite. 1 油、オイル。
2 *Abura, oiru.*
Mostaza. 1 マスタード
2 *Masutâdo.*
Pimienta. 1 胡椒。
2 *Kosyou.*

レストラン　紅茶

Sal.   1   塩。
        2   *Sio.*
Salsa de tomate, de carne.
   1   トマトソース、肉ソース。
   2   *Tomato-sôsu, niku-sôsu.*
Mahonesa.   1   マヨネーズ。
             2   *Mayonêzu.*

Bebidas

Vino blanco, tinto, rosado.
   1   白、赤、ロゼワイン。
   2   *Siro, aka, roze-wain.*
Vino seco.   1   辛口ワイン。
             2   *Karakuchi-wain.*
Vino de la casa.   1   自家製ワイン。
                   2   *Jikasei-wain.*
Champán.   1   シャンパン。
           2   *Syan-pan.*
Dulce, seco, semi, brut...
   1   甘口、辛口、セミ、ブルット...
   2   *Ama-kuchi, kara-kuchi, semi, burutto...*
Cerveza dorada, negra.
   1   ビール、黒ビール。
   2   *Bîru, kuro-bîru.*
Agua.   1   水。
        2   *Mizu.*
Agua mineral.   1   ミネラルウォター。
                2   *Mineraru-wôtâ.*

El té   紅茶

Camarero, sírvame un té.
   1   ウェイター、紅茶をお願いします。
   2   *Ueitâ, koucha wo onegai simasu.*

Con leche. 1 ミルク入。
2 *Mirku-iri.*
Con pan y mantequilla. 1 パンとバターを添えて。
2 *Pan to batâ wo soete.*
Prefiero algunas pastas secas.
1 焼菓子の方がいいです。
2 *Yaki-gasi no houga ii-desu.*
Déme agua fresca.
1 冷たい水をください。
2 *Tsumetai mizu wo kudasai.*
Sírvame un poco más de azúcar.
1 砂糖をもう少しください。
2 *Satou wo mou-sukosi kudasai.*
Pan tostado. 1 トースト。
2 *Tôsuto.*
Miel, mermelada. 1 蜂蜜、ジャム。
2 *Hachi-mitsu, jamu.*
Agua caliente. 1 熱湯。
2 *Nettou.*

La cuenta   勘定

Camarero, traiga la cuenta.
1 ウェイター、お勘定をお願いします。
2 *Ueitâ, okanjou wo onegai simasu.*
Creo que se han equivocado.
1 間違いだと思います。
2 *Machigai dato omoi.masu.*
Aquí falta...
1 ここに …が抜けています。
2 *Koko-ni ...ga nukete imasu.*
Tráigame el libro de reclamaciones, por favor.
1 苦情書き込み帳を持ってきてください。
2 *Kujou-kakikomi-chou wo motte kite kudasai.*

市街

En la ciudad*
市街で

La ciudad.	1	市街。
	2	*Sigai.*
La calle.	1	道。
	2	*Michi.*
El paseo.	1	散歩。
	2	*San-po.*
La avenida.	1	大通り。
	2	*Ô-douri.*
El pasaje.	1	抜け道。
	2	*Nuke-michi.*
La plaza.	1	広場。
	2	*Hiroba.*
El callejón.	1	袋小路。
	2	*Fukuro-kouji.*
Los jardines.	1	庭園。
	2	*Tei-en.*
La fuente.	1	噴水。
	2	*Fun-sui.*
El surtidor.	1	噴水。
	2	*Fun-sui.*
La calzada.	1	車道。
	2	*Sya-dou.*
La acera.	1	歩道。
	2	*Ho-dou.*

El guardia urbano, el guardia de tráfico.
1 市警、交通巡査。
2 *Sikei, koutsû-junsa.*

Los árboles.
1 街路樹。
2 *Gairo-ju.*

---

* Véase también p. 67, **En el restaurante** y p.123, **De compras**.

市街

El autobús. 　　1　バス。
　　　　　　　　　2　*Basu.*
La parada del autobús. 　　1　バス停留所。
　　　　　　　　　　　　　2　*Basu teiryû-jo.*
El tranvía. 　　1　市電。
　　　　　　　2　*Siden.*
El trolebús. 　　1　トロリーバス。
　　　　　　　2　*Tororî-basu.*
El metro. 　　1　地下鉄。
　　　　　　2　*Chikatetsu.*
La estación del metro. 　　1　地下鉄駅。
　　　　　　　　　　　　2　*Chikatetsu-eki.*
El automóvil, el auto. 　　1　自動車。
　　　　　　　　　　　2　*Jidou-sya.*
El taxi. 　　1　タクシー。
　　　　　2　*Takusî.*
La parada de taxis. 　　1　タクシー乗り場。
　　　　　　　　　　2　*Takusî-noriba.*
El coche. 　　1　乗用車。
　　　　　　2　*Jouyou-sya.*
El autocar. 　　1　長距離バス、観光バス。
　　　　　　2　*Choukyori-basu, kankou-basu.*
El camión. 　　1　トラック。
　　　　　　2　*torrakku.*
La motocicleta. 　　1　スクーター。
　　　　　　　　2　*Sukûtâ.*
La bicicleta. 　　1　自転車。
　　　　　　　2　*Jiten-sya.*
El paso de peatones. 　　1　歩道。
　　　　　　　　　　2　*Hodou.*
El semáforo. 　　1　信号。
　　　　　　　2　*Sin-gou.*
El edificio. 　　1　建物。
　　　　　　　2　*Tatemono.*
La casa. 　　1　家。
　　　　　2　*Ie.*
La torre. 　　1　邸宅。
　　　　　2　*Tei-taku.*

市街

La puerta.	1	ドアー。
	2	*Doâ.*
Los balcones.	1	ベランダ。
	2	*Beranda.*
Las ventanas.	1	窓。
	2	*Mado.*
Las galerías.	1	回廊。
	2	*Kairou.*
La azotea.	1	屋上。
	2	*Oku-jou.*
El tejado.	1	屋根。
	2	*Yane.*
El pararrayos.	1	避雷針。
	2	*Hirai-sin.*
Un barrio.	1	地区。
	2	*Chiku.*
El ayuntamiento.	1	市役所。
	2	*Si-yakusyo.*
El consulado.	1	領事館。
	2	*Ryouji-kan.*
La universidad.	1	大学。
	2	*Daigaku.*
La biblioteca.	1	図書館。
	2	*Tosyo-kan.*
El museo.	1	美術館。
	2	*Bijutsu-kan.*

Correos y telégrafos.
1 電信郵便局。
2 *Densin-yûbin-kyoku.*

Teléfonos.	1	公衆電話。
	2	*Kousyû-denwa.*
La oficina de turismo.	1	観光案内所。
	2	*Kankou an-nai jo.*
El hospital.	1	病院。
	2	*Byou-in.*
La catedral.	1	大聖堂。
	2	*Dai-seidou.*

市街

La iglesia.	1	教会。
	2	*Kyoukai.*
El banco.	1	銀行。
	2	*Guin-kou.*
El restaurante.	1	レストラン、食堂。
	2	*Resutoran, syokudou.*
La farmacia.	1	薬局。
	2	*Yakkyoku.*
El bar.	1	バー。
	2	*Bâ.*
El hotel.	1	ホテル。
	2	*Hoteru.*
La cárcel.	1	刑務所。
	2	*Keimu-syo.*
La comisaría de policía.	1	警察署。
	2	*Keisatsu-syo.*
La pensión.	1	民宿。
	2	*Min-syuku.*
La tienda.	1	商店。
	2	*Syouten.*
Los grandes almacenes.	1	デパート。
	2	*Depâto.*
El cine.	1	映画館。
	2	*Eiga-kan.*
El teatro.	1	劇場。
	2	*Gueki-jou.*
El castillo.	1	城。
	2	*Siro.*
Las murallas.	1	城壁。
	2	*Jou-heki.*
El palacio.	1	宮殿。
	2	*Kyû-den.*

La cabina telefónica.
1 電話ボックス。
2 *Den-wa bokkusu.*
El parque zoológico.
1 動物園。
2 *Doubutsu-en.*

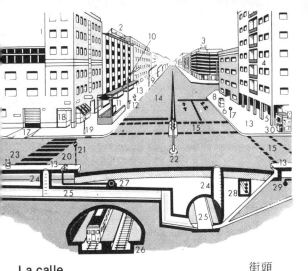

La calle

街頭

1. Edificios 建物
2. y 3. Letreros luminosos
   ネオンサイン
4. Galerías 回廊
5. Soportales ポーチ
6. Cabina telefónica
   電話ボックス
7. Señales de tráfico
   交通標識
8. Chaflán 面取り部分
9. Faroles 街灯
10. Marquesina 日除け
11. Boca de estación del metro
    地下鉄口
12. Papelera ごみ箱
13. Aceras 歩道
14. Calzada 車道
15. Paso de peatones
    横断歩道
16. Toldo 日除け
17. Vado スロープ
18. Escaparate
    ショーウィンドー
19. Semáforo 信号
20. Paso cebra 横断歩道
21. Señales de tráfico
    交通標識
22. Semáforo 信号
23. Buzón de correos
    郵便ポスト
24. Pozo de registro
    マンホール
25. Alcantarillas 下水道
26. Estación de metro
    地下鉄駅
27. Conducción de agua
    水道管
28. Conducción de líneas tele-
    fónicas 電話線
29. Conducción de gas ガス管
30. Kiosco 売店

El circo. 1 サーカス。
2 *Sâkasu.*

La sala de fiestas. 1 パーティー会場。
2 *Pâtî-kaijou.*

El club nocturno. 1 ナイトクラブ。
2 *Naito kurabu.*

El estadio, el campo de deportes.
1 スタジオ、競技場。
2 *Sutajio, kyougi-jou.*

Las atracciones. 1 遊園地。
2 *Yûen-chi.*

La estación. 1 駅。
2 *Eki.*

La plaza de toros. 1 闘牛場。
2 *Tougyû-jou.*

El puerto. 1 港。
2 *Minato.*

La compañía de aviación. 1 航空会社。
2 *Koukû gaisya.*

La agencia de viajes. 1 旅行代理店。
2 *Ryokou dairi-ten.*

El quiosco de periódicos. 1 新聞売り場。
2 *Sinbun uri-ba.*

El estanco. 1 たばこ店。
2 *Tabako-ten.*

La peluquería. 1 理髪店、美容院。
2 *Rihatsu-ten, biyou-in.*

El mercado. 1 市場。
2 *Ichi-ba.*

El autoservicio. 1 スーパーマーケット。
2 *Sûpâ mâketto.*

市街 住所

Para pedir una dirección
住所を尋ねる

¿Conoce usted la ciudad?
1 街をご存じですか？
2 *Machi wo go-zonji desuka?*

Es la primera vez que vengo.
1 ここへは初めて来ます。
2 *Koko ewa hajimete kimasu.*

Usted perdone. ¿Está muy lejos la calle de...?
1 すみません、...通りはここからとても遠いですか？
2 *Sumimasen, ...dôri wa kokokara hanarete imasuka?*

¿Está cerca el Hotel de...?
1 ...ホテルの近くですか？
2 *...Hoteru no chiikaku desuka?*

Está lejos. Está cerca.Tome usted la primera, la segunda, la tercera calle a la derecha.
1 遠いです。近いです。一番目、二番目、三番目の角を右へ曲がってください。
2 *Tôi desu. Chikai desu. Ichiban-me, niban-me, sanban-me no kado wo migui e magatte kudasai.*

Siga usted esta misma calle.
1 この道をまっすぐ行ってください。
2 *Kono michi wo massugu susunde kudasai.*

Guardia, ¿puede decirme dónde está el consulado...?
1 市警さん、...国の領事館はどこか教えていただけますか？
2 *Sike-san, ...koku no ryouji-kan wa dokoka osiete itadake masuka?*

¿Qué combinación puedo hacer para ir?
1 どうやって行くのですか？
2 *Douyatte iku no desuka?*

市街　住所

¿Dónde está la iglesia de..., la plaza de..., la avenida de..., el Ayuntamiento, la comisaría de policía, el Hotel..., la plaza de toros, el museo de..., la oficina de turismo...?

1 教会、広場、大通り、市役所、警察署、ホテル、闘牛場、美術館、観光案内所はどこですか？

2 ...Kyoukai, ...hiroba,...ô-dôri, si-yakusyo, keisatsu-syo, ...hoteru, tougyû-jou, ...bijutsu-kan, kankou an-nai-jo wa doko desuka?

¿Qué tranvía, autobús, trolebús, metro, he de coger para ir a...?

1 ...へ行くには、どの市電、バス、トロリーバス、地下鉄に乗りますか？

2 ...E iku niwa, dono siden, basu, tororî-basu, chikatetsu ni nori-masuka?

¿Cómo podré ir al teatro...?

1 ...劇場へはどう行くのですか？

2 ...Gueki-jou ewa dou iku no desuka?

¿Está lejos?

1 遠いですか？

2 Tôi desuka?

¿Qué distancia aproximada hay?

1 どのくらいの距離ですか？

2 Dono-kurai no kyori desuka?

¿Dónde está la parada del tranvía, del autobús?

1 市電、バスの停留所はどこですか？

2 Siden, basu no teiryû-jo wa doko desuka?

¿Hay cerca de aquí una tienda de material fotográfico?

1 この近くに写真店はありますか？

2 Kono chikaku ni syasin-ten wa arimasuka?

¿Dónde hay una farmacia?

1 薬局はどこですか？

2 Yakkyoku wa doko desuka?

¿Para ir a Correos, por favor?

1 郵便局へ行くには？

2 Yûbin-kyoku e ikuniwa?

市街　待ち合わせ

La cita
待ち合わせ

La cita.　1　待ち合わせ。
　　　　　2　*Machi-awase.*
¿Cómo le prueba esta ciudad?
　1　この街は気に入りましたか？
　2　*Kono machi wa kini-iri masitaka?*
¿Desde cuándo está usted aquí?
　1　いつからこちらにいらっしゃるのですか？
　2　*Itsu-kara kochira ni irassyaru no desuka?*
Me ha dado una sorpresa muy agradable.
　1　嬉しい驚きでした。
　2　*Uresî odoroki desita.*
¿Cuánto tiempo se quedará usted en...?
　1　...には、どのくらい滞在される予定ですか？
　2　*...Niwa dono-kurai taizai sareru yotei desuka?*
No lo sé aún exactamente.
　1　まだ正確にはわかりません。
　2　*Mada seikaku niwa wakarimasen.*
Pienso permanecer por lo menos una semana.
　1　少なくとも、一週間は滞在する予定です。
　2　*Sukunaku-tomo issyû-kan wa taizai suru yotei-desu.*
¿Cenará usted conmigo hoy?
　1　今晩、夕食を一緒にしませんか？
　2　*Konban yûsyoku wo issyo ni simasenka?*
Lo siento mucho, pero hoy me es imposible.
　1　すみません、今日は無理です。
　2　*Sumimasen, kyou wa muridesu.*
¿Dónde y a qué hora quiere que le espere?
　1　どこで、何時にお待ちしましょうか？
　2　*Doko de nanji ni omachi simasyouka?*
En el restaurante... a las ocho y media.
　1　...レストランで、8時半に。
　2　*..Resutoran de hachi-ji han ni.*

Bien, no faltaré. 1 わかりました、必ず伺います。
2 *Wakari-masita, kanarazu ukagai-masu.*
Hasta mañana. 1 また明日。
2 *Mata asita.*

El saludo
あいさつ

¡Hola! ¿Cómo está usted?
1 こんにちは。お元気ですか？
2 *Kon-nichi-wa. O-guenki desuka?*
¿Qué tal, señor, señora, señorita?
1 紳士、夫人、お嬢様、ご機嫌はいかがですか？
2 *Sin-si, fu-jin, ojou-sama, gokiguen wa ikaga desuka?*
Bien, ¿y usted? 1 元気です、あなたは？
2 *Guenki-desu, anata wa?*
Buenos días, señor. 1 紳士、おはようございます。
2 *Ohayou gozai-masu.*
Buenas tardes, señora, señorita.
1 夫人、お嬢様、こんにちは。
2 *Fu-jin, ojou-sama kon-nichi-wa.*
¿Cómo está usted? 1 お元気ですか？
2 *O-guenki desuka?*
Le presento a... 1 ...さんをご紹介します。
2 *...San wo go-syoukai simasu.*
¿Sigue bien su familia?
1 ご家族の方はお変りありませんか？
2 *Go-kazoku no hou wa okawari ari masenka?*
Muy agradecido por todo. 1 ご親切に感謝します。
2 *Go-sinsetsu ni kansya simasu.*
Recuerdos a nuestros amigos.
1 共通の友人によろしく。
2 *Kyoutsû no yû-jin ni yorosiku.*
Besos a los niños. 1 子供達に挨拶のキスを。
2 *Kodomo-tachi ni aisatsu no kisu wo.*

市街　訪問

Hasta mañana. 1 また明日。
2 *Mata asita.*
Hasta luego. Hasta la vista.
1 また後程。また今度。
2 *Mata nochi-hodo. Mata kondo.*
No hablo francés, español, inglés, etc.
1 フランス語、スペイン語、英語...を話しません。
2 *Furansu-go, supein-go, ei-go... wo hanasi masen.*
Perdóneme, que tengo prisa.
1 すみません、急いでいます。
2 *Sumimasen , isoide imasu.*

De visita*

訪問

_____

El señor..., ¿está en casa? 1 ...氏は在宅ですか？
2 *...Si wa zaitaku desuka?*
¿Es el señor...? 1 ...氏ですか？
2 *...Si desuka?*
¡Cuánto celebro ver a usted!
1 お会いできて、何と嬉しいことでしょう。
2 *Oaidekite nan-to uresii koto-desyou!*
Le agradezco la visita. 1 訪問に感謝します。
2 *Houmon ni kansya simasu.*
Siempre tenemos un gran placer en verle a usted.
1 あなたにお会いすることは、いつも私達の喜びです。
2 *Anata ni oai surukoto wa itsumo watasi tachi no yorokobi desu.*
Pase usted adelante. 1 中へどうぞ。
2 *Naka e douzo.*
Siéntese usted, por favor.
1 どうぞお座り下さい。
2 *Douzo o-auwari kudasai.*

* Véase también p.167, **Objetos para regalo** y p.168, **La floristería**.

Le vemos a usted muy poco.
1 ご無沙汰しています。
2 *Gobusata site-imasu.*

Hoy comerá usted con nosotros.
1 今日はぜひ、昼食を一緒にしてください。
2 *Kyou wa zehi chûsyoku wo issyo ni site-kudasai.*

Permítame que le presente a mi mujer.
1 妻を紹介させてください。
2 *Tsuma wo syoukai sasete kudasai.*

Les presento mis padres y mi hermana.
1 両親と姉、妹に紹介します。
2 *Ryousin to ane, imouto ni syoukai simasu.*

Encantado de conocerles.
1 お知り合いになれて嬉しいです。
2 *Osiriai ni narete uresî deau.*

Les agradecemos mucho esta visita.
1 ご訪問にとても感謝します。
2 *Go-houmon ni totemo kansya simasu.*

Tengo prisa.
1 急いでいます。
2 *Isoide imasu.*

Volveré mañana.
1 明日、また来ます。
2 *Asu, mata kimasu.*

Volveré otro día.
1 また別の日に来ます。
2 *Mata betsu no hi ni kimasu.*

Que usted lo pase bien.
1 楽しく過ごして下さい。
2 *Tanosiku sugosite kudasai.*

Hasta la vista.   1 またいつか。
                        2 *Mata itsuka.*

Hasta pronto. Recuerdos a...
1 近いうちに。...さんによろしく。
2 *Chikai uchi-ni. ...San ni yorosiku.*

Muchas gracias, igualmente. Adiós.
1 こちらこそ、ありがとうございました。さようなら。
2 *Kochira koso, arigatou gozai-masita. Sayou-nara.*

市街　観光

Visitas a museos y otros lugares de interés.

美術館
その他名所の訪問

Horas de visita.
1 開館時間。
2 *Kai-kan jikan.*
Días de visita.
1 開館日。
2 *Kai-kan-bi.*
Prohibido hacer fotografías.
1 写真撮影禁止。
2 *Syasin-satsuei kinsi.*
Cerrado por reparaciones.
1 改修のため閉館。
2 *Kaisyû no tame hei-kan.*

Abierto.　　1 開館。
　　　　　　　2 *Kai-kan.*
Cerrado.　　1 閉館。
　　　　　　　2 *Hei-kan.*
Entrada gratuita.　1 入場無料。
　　　　　　　　　　2 *Nyûjou-muryou.*
Vigilante.　1 警備員。
　　　　　　　2 *Keibi-in.*
Guía.　　　1 ガイド。
　　　　　　　2 *Gaido.*
Catálogo.　1 カタログ。
　　　　　　　2 *Katarogu.*
Libro-guía.　1 ガイドブック。
　　　　　　　　2 *Gaido-bukku.*
Visita con guía.　1 ガイド付き見学。
　　　　　　　　　　2 *Gaido tsuki kengaku.*
Salas.　　　1 展示室。
　　　　　　　2 *Tenji-sitsu.*

Exposición. 1 展覧会。
2 *Tenran-kai.*

Cuadro, lienzo. 1 絵、キャンバス。
2 *E, kyan-basu.*

Pintura. 1 絵画。
2 *Kaiga.*

Dibujo. 1 素描、デッサン。
2 *Sobyou, dessan.*

Litografía. 1 石版画。
2 *Sekihan-ga.*

Grabado. 1 版画。
2 *Han-ga.*

Reproducción. 1 複製。
2 *Fukusei.*

Escultura. 1 彫刻。
2 *Choukoku.*

Retablo. 1 祭壇画。
2 *Saidan-ga.*

Relieve.
1 浮き彫り、レリーフ。
2 *Ukibori, rerîfu.*

Monumento.
1 記念碑、モニュメント。
2 *Kinen-hi, momnyumento.*

Basílica. 1 教会堂。
2 *Kyoukai-dou.*

Catedral. 1 大聖堂。
2 *Dai-seidou.*

Abadía. 1 大修道院。
2 *Dai-syûdou-in.*

Monasterio. 1 修道院。
2 *Syûdou-in.*

Baptisterio. 1 洗礼堂。
2 *Senrei-dou.*

Campanario. 1 鐘楼。
2 *Syou-rou.*

Nave. 1 外陣。
2 *Gai-jin.*

市街　観光

Claustro.	1	内庭回廊。
	2	*Naitei kairou.*
Capilla.	1	小聖堂。
	2	*Syou-seidou.*
Arcos ojivales.	1	ゴシック式アーチ。
	2	*Gosikku-siki âchi.*
Arcos de medio punto	1	半円アーチ。
	2	*Han-en âchi.*
Crucero.	1	翼廊。
	2	*Yoku-rou.*
Cúpula.	1	丸屋根。
	2	*Maru-yane.*
Bóveda.	1	丸天井。
	2	*Maru-tenjou.*
Ábside.	1	アプス。
	2	*Apusu.*
Rosetón.	1	ばら窓。
	2	*Bara-mado.*
Vidrieras.	1	ステンドグラス。
	2	*Sutendo-gurasu.*
Capitel.	1	柱頭。
	2	*Chû-tou.*
Columna.	1	柱。
	2	*Hasira.*
Palacio.	1	城。
	2	*Siro.*
Torre.	1	塔。
	2	*Tou.*
Patio.	1	中庭。
	2	*Nakaniwa.*
Sepulcro.	1	墓。
	2	*Haka.*
Sarcófago.	1	石棺。
	2	*Sekkan.*
Mármol.	1	大理石。
	2	*Dairi-seki.*

El arte

美術

Egipcio エジプト美術
1. Estatua de Ramsés II (Museo de Turín) ランセ像（トリノ美術館）.
2. Columna papiriforme con ligazones y capitel campaniforme(XXV dinastía) ベルと結び模様の付いたパピルスの塔（25王朝）.

Indio インド美術
3. Estatua de bronce de Buda (siglo XIII).Museo de Berlín 青銅仏像（13世紀）. ベルリン美術館.

Japonés 日本美術
4. Torii o puerta monumental de madera en el agua 水上の鳥居.

Maya マヤ美術.
5. Diosa maya llamada « Estrella de la tarde » (Uxmal) 午後の星と呼ばれるマヤの女神（ウシュマル）

Antiguo mexicano 古メキシコ美術
6. "Lucero del Alba". Colosal cabeza de diorita (Museo Nacional, México) " 明けの明星 "、巨頭（メキシコ国立美術館）

Inca インカ美術
7. Antigua cerámica de los incas インカの古陶器

Griego ギリシャ美術
8. Capitel de origen dórico ドーリア様式柱頭.
9. Capitel de origen jónico イオニア様式柱頭.
10. Capitel de origen corintio コリント様式柱頭.
11. El Partenón パルテノン.

Romano ローマ美術
12. Estatua de Augusto (Museo Vaticano) アウグストゥス像.

Románico ロマネスク美術
13. Pórtico y campanario de Ursel (Francia),ウルセルのポルチコと鐘楼（フランス）

Gótico ゴシック美術
14. Ventana de la catedral de Colonia コルン大聖堂の窓.

Renacimiento ルネッサンス美術.
15. Estatua de San Jorge por Donatello (Florencia) ドナテロによる聖ジョルジョ像（フィレンツェ）.

Barroco バロック美術
16. Baldaquino de San Pedro construido en 1624 por Bernini ベルニーニによる聖ペドロの天蓋、1624年。

Rococó *ロココ美術*
  17. Balaustre del altar de
  San Ignacio. Iglesia de
  Jesús en Roma 聖イグナ
  シオ祭壇の手すり子、
  ローマイエズス教会.

Neoclásico *新古典美術*
  18. Fachada del palacio del
  Pequeño Trianón
  小トリアノン宮ファサード.

Alabastro . 1 雪花石膏。
              2 *Sekka sekkou*
Metal.   1 金属。
              2 *Kinzoku.*
Bronce.   1 ブロンズ。
              2 *Buronzu.*
Piedra.   1 石。
              2 *Isi.*
Orfebrería.   1 金銀細工。
              2 *Kin-guin saiku.*

Oro.   1 金。
       2 *Kin.*

Plata.   1 銀。
       2 *Guin.*

Pedrería. 1 宝石。
       2 *Houseki.*

Cerámica. 1 陶器。
       2 *Tou-ki.*

Vasija. 1 器。
       2 *Utsuwa.*

Dinastías. 1 王朝。
       2 *Ouchou.*

Arte... 1 ...美術。
       2 *...Bijutsu.*

Clásico. 1 古典。
       2 *Koten.*

Griego. 1 ギリシャ。
       2 *Guirisya.*

Romano. 1 ローマ。
       2 *Rôma.*

Artes industriales. 1 工業美術。
                     2 *Kougyou bijutsu.*

Pre-románico. 1 前ロマネスク。
            2 *Zen romanesuku.*

Bizantino. 1 ビザンチン。
       2 *bizan-chin.*

Románico. 1 ロマネスク。
       2 *Romanesuku.*

Gótico. 1 ゴシック。
       2 *Gosikku.*

Renacimiento. 1 ルネッサンス。
          2 *Runessansu.*

Barroco. 1 バロック。
       2 *barokku.*

Neoclásico. 1 新古典派。
       2 *Sin-koten-ha*

Imperio. 1 帝国。
       2 *Teikoku.*

市街 観光

Romántico. 1 ロマン派。
  2 *Roman-ha.*
Romanticismo. 1 ロマン主義。
  2 *Roman-syugui.*
Realismo. 1 リアリズム。
  2 *Riarzumu.*
Impresionismo. 1 印象派。
  2 *Insyou-ha.*
Cubismo. 1 キュビズム。
  2 *Kyubizumu.*
Surrealismo.
  1 シュルレアリズム。
  2 *Syûru-rearizumu.*
Pintura...
  1 ...絵画。
  2 *...Kaiga.*
¿Qué museos, monumentos, edificios notables, parques, hay en la ciudad?
  1 この街にはどんな美術館、モニュメント、注目すべき建造物、庭園がありますか？
  2 *Kono machi niwa don-na bijutsu-kan, monyumento, chûmoku subeki kenzou-butsu, teien ga ari-masuka?*
Tiene un especial interés turístico el museo..., la iglesia de..., el Ayuntamiento, la catedral, el edificio de..., el monumento de...
  1 ...美術館、...教会、市庁舎、大聖堂、...の建物、...モニュメントは観光名所ですか？
  2 *...Bijutsu-kan, ...kyoukai, si-chousya, dai-seidou, ...no tatemono, ...no monyumento wa kankou meisyo desuka?*
¿Está muy lejos el museo de...?
  1 ...美術館は遠いですか？
  2 *..Bijutsu-kan wa tôi desuka?*
¿Qué medio de locomoción hay para ir a...?
  1 ...へ行くにはどんな交通手段がありますか？
  2 *...E iku niwa don-na koutsû syudan ga arimasuka?*

市街　観光

¿Haría el favor de decirme qué lugares típicos hay en la ciudad?
1 この街の名所を教えていただけますか？
2 *Kono machi no meisyo wo osiete itadake masuka?*

Desearía visitar el museo de Bellas Artes.
1 美術館へ行きたいと思います。
2 *Bijutsu-kan e ikitai to omoi-masu.*

Un museo de Arte Antiguo.
1 古美術の美術館。
2 *Ko-bijutsu no bijutsukan.*

Un museo de Arte Moderno.
1 近代美術の美術館。
2 *Kindai-bijutsu no bijutsukan.*

Un museo de Arte Contemporáneo.
1 現代美術の美術館。
2 *Guendai-bijutsu no bijutsukan.*

De Artes Decorativas.　1 装飾美術の。
　　　　　　　　　　　　　2 *Sousyoku-bijutsu no.*

De Ciencias Naturales.　1 自然科学の。
　　　　　　　　　　　　　2 *Sizen-kagaku no.*

De Arqueología.　1 孝古学の。
　　　　　　　　　　2 *Kouko-gaku no.*

Naval.　1 海洋の。
　　　　　2 *Kai-you no.*

De Aviación.　1 飛行の。
　　　　　　　　2 *Hikou no.*

El monumento de...　1 ...のモニュメント。
　　　　　　　　　　　2 *...No monyumento.*

¿Podría indicarme los días y horas de visita?
1 訪問できる日と時間を教えていただけますか？
2 *Houmon dekiru hi to jikan wo osiete itadake masuka?*

Un guía, por favor.
1 ガイドをお願いします。
2 *Gaido wo onegai simasu.*

市街　交通

¿Qué estilo tiene este edificio, esta iglesia?
1　この建物、教会は何様式ですか？
2　*Kono tatemono, kyoukai wa nani yousiki desuka?*
Desearía visitar algún parque, jardín, parque zoológico, etc.
1　公園、庭園、動物園　を訪れたいと思います。
2　*Kouen, teien, doubutsu-en wo otozure-tai to omoimasu.*

Medios de Locomoción　　交通手段

El taxi
タクシー

¡Taxi, taxi!　　1　タクシー、タクシー！
　　　　　　　　　2　*Takusî, takusî!*
¿Está libre?　　1　空車ですか？
　　　　　　　　　2　*Kûsya desuka?*
Vamos a dar un paseo por las avenidas principales.
1　主要な大通りを回って下さい。
2　*Syuuyou na ôdouri wo mawatte kudasai.*
Chófer, al Hotel...
1　運転手さん、...ホテルへ。
2　*Untensyu-san, ...hoteru e.*
Vaya de prisa.　1　急いで下さい。
　　　　　　　　　2　*Isoide kudasai.*
Vaya despacio.　1　ゆっくり走って下さい。
　　　　　　　　　2　*Yukkuri hasitte kudasai.*
Lléveme a la calle..., número...
1　...通りの...番へお願いします。
2　*...Dôri no ...ban e onegai simasu.*

El metro y el tranvía

地下鉄と市電

A. Esquema de vagón de metro 地下鉄車両図解
1. Operador puertas ドア開閉員
2. Faro ヘッドライト
3. Topes 緩衝器
4. Controles de las puertas ドア開閉機
5. Ventanilla 窓
6. Asientos 座席
7. Cabina del conductor 運転室
8. Luces de posición 徐行ランプ
9. Raíl レール
B. Esquema de una estación de metro 地下鉄駅の図解
12. Entrada 入口
13. Escalera 階段
14. Escalera automática エスカレーター
15. Escalerilla de servicio 作業用小階段
16. Banco ベンチ
17. Trole pentagrama ペンタグラム
18. Salida 出口

19. Semáforos, 信号
20. Vías 線路
21. Taquillas 切符売り場
22. Entrada 入口
23. Salida 出口
24. Andenes プラットホーム
C. Esquema de tranvía 市電の図解
1. Trole トロリー
2. Puerta automática 自動ドア
3. Indicador de línea y recorrido 線、行程案内板
4. Cabina del conductor 運転室
5. Mando de funcionamiento de las puertas ドア開閉レバー
6. Asiento del cobrador 車掌席
7. Agarraderas de sujeción 手すり
8. Asiento 座席
9. Respaldo 背もたれ
10. Plataforma posterior プラットホーム
11. Ventanilla 窓

Vaya por el camino más corto.
1 一番短い道を行ってください。
2 *Ichi-ban mijikai michi wo itte kudasai.*

Chófer, ¿falta mucho para llegar?
1 運転手さん、まだ大分ありますか？
2 *Unten-syu san, mada daibu arimasuka'*

¿Cómo se llama esta calle?
1 この道の名前は何ですか？
2 *Kono michi no namae wa nan-desuka?*

¿Y aquél edificio que se ve al fondo?
1 あの奥に見える建物は何ですか？
2 *Ano oku ni mieru tatemono wa nan-desuka?*

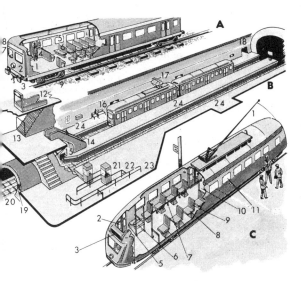

Chófer, pare usted.
  1 運転手さん、止まってください。
  2 *Unten-syu san, tomatte kudasai.*

A la estación...   **1** ...駅へ。
                    2 *...Eki e.*

¿Cuánto le debo?   **1** いくらですか？
                       2 *Ikura desuka?*

El autobús, tranvía, metro

バス、市電、地下鉄

¿A dónde va este autobús?
  1 このバスはどこ行きですか？
  2 *Kono basu wa doko-iki desuka?*

¿Cuánto vale el trayecto?
  1 運賃はいくらですか？
  2 *Un-chin wa ikura desuka?*

¿Por dónde pasa el autobús..., el tranvía número...?
1   ...バス、...番の市電はどこを通りますか？
2   ...Basu, ...ban no siden wa doko wo tôri masuka?

¿Hará el favor de avisarme cuando lleguemos?
1   着いたら知らせていただけますか？
2   Tsuitara sirasete itadake masuka?

Déme tres billetes. ¿Cuánto es?
1   切符を三枚下さい。いくらですか？
2   Kippu wo san-mai kudasai. Ikura desuka?

Para ir a...¿qué medio de locomoción me aconseja?
1   ...へ行くにはどの交通手段を勧められますか？
2   ...E ikuniwa dono koutsû syudan wo susumerare masuka?

¿Dónde se coge el autobús, tranvía, metro para ir a...?
1   ...行きのバス、市電、地下鉄はどこで乗るのですか？
2   ...Iki no basu, siden, chikatetsu wa dokode norunodesuka?

¿En qué estación he de bajar?
1   どの駅で降りたらよいですか？
2   Dono eki de oritara yoi-desuka?

Haga el favor de darme un billete para...
1   ...行きの切符を一枚下さい。
2   ..Iki no kippu wo ichi-mai kudasai.

市街　レンタカー

Alquiler automóviles

レンタカー

Desearía alquilar un coche.
1　車を借りたい。
2　*Kuruma wo karitai.*

Con chófer, sin chófer.
1　運転手付き、運転手無し。
2　*Unten-syu tsuki, unten-syu-nasi.*

¿Qué marcas tiene?
1　どんな車種がありますか？
2　*Don-na syasyu ga arimasuka?*

¿Cuánto costaría diariamente?
1　一日いくらかかりますか？
2　*Ichi-nichi ikura kakari-masuka?*

¿Y, cuánto por kilómetro?
1　キロあたりいくらかかりますか？
2　*Kiro atari ikura kakari-masuka?*

Para hoy sólo.
1　今日だけです。
2　*Kyou dake desu.*

Para...días.
1　...日間。
2　*...Nichi-kan.*

¿Dónde lo puedo dejar?
1　どこで乗り捨てできますか？
2　*Dokode norisute deki-masuka?*

¿Qué tipo de seguro tiene?
1　どんな保険がありますか？
2　*Don-na hoken ga arimasuka?*

¿Lo puedo dejar en el aeropuerto?
1　空港で乗り捨てできますか？
2　*Kûkou de norisute deki masuka?*

En el aparcamiento　　　　　駐車場で

Libre.　1　空き。
　　　　　2　*Aki.*
Ocupado.　1　満車。
　　　　　　2　*Man-sya.*
¿Dónde puedo aparcar?
　1　どこに駐車できますか？
　2　*Doko-ni chûsya dekimasuka?*
¿Cuánto cuesta la primera hora?
　1　最初の一時間はいくらですか？
　2　*Saisyo no ichi-jikan wa ikura desuka?*
¿Y cada hora?　1　一時間毎はいくらですか？
　　　　　　　　2　*Ichi-jikan goto wa ikura desuka?*
Lo quiero dejar todo el día.
　1　一日置きたい。
　2　*Ichi-nichi okitai.*
¿Cuánto me costará?
　1　いくらかかりますか？
　2　*Ikura kakari masuka?*
Lo quiero dejar toda la noche.　1　一晩置きたい。
　　　　　　　　　　　　　　　　2　*Hito-ban okitai.*
¿Dejo las llaves?　1　キーを残しますか？
　　　　　　　　　2　*Kî wo nokosi masuka?*
¿Me lo pueden limpiar?
　1　洗車をお願いできますか？
　2　*Sen-sya wo onegai dekimasuka?*
¿Dónde me dan el ticket?
　1　レシートはどこでもらうのですか？
　2　*Resîto wa dokode morau no desuka?*
¿Cuánto es?
　1　いくらですか？
　2　*Ikura desuka?*
No encuentro mi coche.
　1　私の車が見つかりません。
　2　*Watasi no kuruma ga mitsukari-masen.*

街　バー、カフェテリア

Es un...de matrícula...
1　車種は....、ナンバーは....です。
2　*Syasyu wa ..., nanbâ wa ...desu.*

El bar*　　　　　　　バー、カフェテリア

El mostrador, la barra.
1　バー。
2　*Bâ.*

El taburete.
1　スツール。
2　*Sutsûru.*

El camarero.　　1　ウェイター。
　　　　　　　　2　*Ueitâ.*

El aperitivo.　　1　食前酒。
　　　　　　　　2　*Syokuzenn-syu.*

El refresco.　　1　ソフトドリンク。
　　　　　　　　2　*Sofuto-dorinku.*

Los licores.　　1　リキュール類。
　　　　　　　　2　*Rikyûru-rui.*

Coñac.　　1　コニャック。
　　　　　　2　*Konyakku.*

Ginebra.　　1　ジン。
　　　　　　　2　*Jin.*

Güisqui.　　1　ウィスキー。
　　　　　　　2　*Uisukî.*

Ron.　　1　ラム酒。
　　　　　2　*Ramu-syu.*

La bandeja.　　1　お盆。
　　　　　　　　2　*Obon.*

La botella de agua.　　1　水のボトル。
　　　　　　　　　　　2　*Mizu no botoru.*

Agua mineral con gas, sin gas.
1　ガス入、ガス無ミネラルウォーター
2　*Gasu-iri, gasu-nasi mineraru uôtâ.*

---

*Veáse también p.67, **En el restaurante.**

El vaso. 　1　コップ。
　　　　　　　2　*Koppu.*

La copa, la copita. 　1　グラス。
　　　　　　　　　　　　　2　*Gurasu.*

La taza. 　1　カップ。
　　　　　　　2　*Kappu.*

La cucharilla. 　1　ティースプーン。
　　　　　　　　　　2　*Tî-supûn.*

El azúcar. 　1　砂糖。
　　　　　　　　2　*Satou.*

La cafetera exprés.
　1　エスプレッソコーヒーメーカー。
　2　*Esupuresso kôhî mêkâ.*

La jarra, el doble, la caña de cerveza.
　1　ジョッキ、ダブル、コップ入ビール
　2　*Jokki, daburu, koppu-iri bîru.*

Cerveza de barril. 　1　樽ビール。
　　　　　　　　　　　　2　*Taru bîru.*

Un zumo de naranja. 　1　オレンジジュース。
　　　　　　　　　　　　　2　*Orenji jûsu.*

Un combinado, un cóctel.
　1　カクテル、ミックスドリンク。
　2　*Kakuteru, mikkusu dorinku.*

Hielo. 　1　氷。
　　　　　　2　*Kôri.*

Una taza de chocolate. 　1　ホットチョコレート。
　　　　　　　　　　　　　　2　*Hotto chokorêto.*

Un café. 　1　コーヒー。
　　　　　　　2　*Kôhî.*

Un café largo (americano).
　1　アメリカンコーヒー。
　2　*American kôhî.*

Un café con leche. 　1　ミルクコーヒー。
　　　　　　　　　　　　2　*Miruku kôhî.*

Una limonada. 　1　レモネード。
　　　　　　　　　2　*Remonêdo.*

Zumo de naranja con agua, con soda.
　1　水入、炭酸入オレンジジュース。
　2　*Mizu-iri, tansan-iri orenji jûsu.*

Zumo de fruta.　1　フルーツジュース。
　　　　　　　　　2　*Furûtsu jûsu.*
El helado.　1　アイスクリーム。
　　　　　　2　*Aisu-kurîmu.*
El teléfono.
　1　電話。
　2　*Denwa.*
El lavabo.
　1　トイレ。
　2　*Toire.*
Tengo sed, entremos en el bar.
　1　のどが乾きました、バーに入りましょう。
　2　*Nodo ga kawaki masita. Bâ ni hairi-masyou.*
Dentro hace calor, sentémonos afuera.
　1　中は暑いですね、外に座りましょう。
　2　*Naka wa atsui desune, soto ni suwari-masyou.*
Camarero, póngame un refresco.
　1　ウェイター、ソフトドリンクをお願いします。
　2　*Ueitâ, sofuto-dorinku wo onegai simasu.*
Yo quiero una caña de cerveza.
　1　私は生ビールを一杯。
　2　*Watasi wa nama-bîru wo ippai.*
Yo tomaré un café exprés.
　1　私はエスプレッソコーヒーを飲みましょう。
　2　*Watasi wa esupuresso kôhî wo nomi-masyou.*
**Yo prefiero una naranjada, una horchata, bien
fresca, natural.**
　1　私は、冷たい、又は常温のオレンジエード、オルチャータ
にしましょう。
　2　*Watasi wa tsumetai, mata-wa jou-on no orenji êdo,
oruchâta ni simasyou.*
Camarero, un vermut con soda.
　1　ウェイター、ソーダいりベルモットをお願いします。
　2　*Ueitâ, sôda-iri berumotto wo onegai-simasu.*
Sírvame un té solo, té con leche, té completo.
　1　紅茶、ミルクティー、ハイティーをお願いします。
　2　*Kou-cha, miruku-tî, hai-tî wo onegai simasu.*

Déme un poco más de azúcar.
1 お砂糖を少し下さい。
2 *Osatou wo sukosi kudasai.*

Déme una botella de agua.
1 水を一瓶下さい。
2 *Mizu wo hito-bin kudasai.*

Traiga un helado de vainilla, chocolate, fresa, nata.
1 バニラ、チョコレート、苺、ミルクのアイスクリームをお願いします。
2 *Banira, chokorêto, ichigo, miruku no aisu-kurîmu wo onegai simasu.*

A mí, un granizado de limón.
1 私は凍ったレモネードをお願いします。
2 *Watasi wa kôtta remonêdo wo onegai simasu.*

¿Dónde está la cabina del teléfono, el lavabo?
1 電話、トイレはどこですか？
2 *Denwa, toire wa doko desuka?*

Camarero, ¿cuánto le debo?
1 ウェイター、勘定はいくらですか？
2 *Ueitâ, kanjou wa ikura desuka?*

Tenga usted, y quédese el resto.
1 どうぞ、お釣はとっておいてください。
2 *Douzo, otsuri wa totte oite kudasai.*

En la comisaría　　　　警察署で

He perdido el pasaporte, el carné...
1 パスポート、身分証明書を失くしました。
2 *Pasupôto, mibun-syoumei-syo wo nakusi masita.*

¿Qué debo hacer?
1 どうしたら良いですか？
2 *Dousitara yoi desuka?*

Deseo formular una denuncia contra...
1 …を告発したい。
2 *...Wo kokuhatsu sitai.*

市街　電信郵便局

Me han robado... El automóvil, la cartera, el bolso.
1　自動車、札入れ、鞄を盗まれました。
2　*Jidousya, satsu-ire, kaban wo nusumare masita.*

Ha desaparecido de mi habitación...
1　私の部屋から...が無くなりました。
2　*Watasi no heya kara ...ga nakunari masita.*

Dejé olvidado mi... Y ha desaparecido.
1　私の...を置き忘れました。そして無くなりました。
2　*Watasi no ...wo oki wasure masita. Sosite nakunari masita.*

¿Lo han encontrado?　　1　見つかりましたか？
　　　　　　　　　　　　　2　*Mitsukari masitaka?*

¿Lo han devuelto?　　1　戻ってきましたか？
　　　　　　　　　　　2　*Modotte kimasitaka?*

Correos y telégrafos

電信 ・ 郵便局

El vestíbulo.
1　ホール、ロビー。
2　*Hôru, robî.*

Los buzones.
1　ポスト。
2　*Posuto.*

El oficial de Correos.
1　郵便局員。
2　*Yûbin kyoku-in.*

El cartero.
1　郵便配達人。
2　*Yûbin haitatsu-nin.*

El repartidor de telégrafos.
1　電報配達人。
2　*Den-pou haitatsu-nin.*

市街　電信郵便局

La carta.　1 手紙。
　　　　　　2 *Tegami.*
Un sobre.　1 封筒。
　　　　　　2 *fûtou.*
El remitente.　1 差し出し人。
　　　　　　　2 *Sasidasi-nin.*
El destinatario.　1 宛先。
　　　　　　　　2 *ate-saki.*
La dirección.　1 住所。
　　　　　　　2 *jûsyo.*
Los sellos para franqueo.
　1 切手。
　2 *kitte.*
La carta ordinaria, urgente, certificada, por avión.
　1 普通郵便、速達、証明、航空便。
　2 *Futsû yûbin, sokutatsu, syoumei, koukû-bin.*
Valores declarados.　1 申告価値。
　　　　　　　　　2 *Sinkoku kachi.*
La tarjeta postal.
　1 葉書。
　2 *Hagaki.*
Impresos.
　1 印刷物。
　2 *Insatsu-butsu.*
El paquete postal.
　1 郵便小包。
　2 *Yûbin kozutsumi.*
El giro postal, telegráfico.
　1 郵便為替、電信為替。
　2 *Yûbin kawase.*
El telegrama ordinario, urgente, telegrama-carta.
　1 普通電報、速達電報、手紙電報。
　2 *Futû den-pou, sokutatsu yûbin, tegami den-pou.*
¿Cuánto es el franqueo de una carta para...?
　1 ...宛の手紙の切手代はいくらですか？
　2 *...Ate no tegami no kitte dai wa ikura desuka?*

市街　電信郵便局

¿Por correo ordinario o por avión?
 1　普通郵便、それとも航空便ですか？
 2　*Futsû yûbin, soretomo koukû-bin desuka?*

¿Y una tarjeta postal?
 1　葉書では？
 2　*Hagaki dewa?*

¿Y una carta urgente?
 1　速達では？
 2　*Soku-tatsu dewa?*

Es una carta urgente certificada.
 1　速達の証明郵便です。
 2　*Soku-tatsu no syoumei-yûbin desu.*

¿Dónde venden los sellos para el franqueo?
 1　切手売り場はどこですか？
 2　*Kitte uriba wa doko desuka?*

Esta carta va certificada.
 1　この手紙は証明郵便です。
 2　*Kono tegami wa syoumei yûbin desu.*

Esta carta va por correo ordinario.
 1　この手紙は普通郵便です。
 2　*Kono tegami wa futsû yûbin desu.*

¿Qué documentos de identidad necesito para retirar un paquete postal?
 1　小包を引き取るのに必要な身分証明書は何ですか？
 2　*Kozutsumi wo hikitoru noni hitsuyou na mibun-syoumei-syo wa nan-desuka'*

¿Para imponer un giro?
 1　為替を送るにはどうしたらよいですか？
 2　*Kawase wo okuru niwa dousitara yoi desua?*

¿Admiten giros para el extranjero?
 1　外国為替を受け付けていますか？
 2　*Gaikoku kawase wo uketsukete imasuka?*

¿Hay alguna carta para...?
 1　...宛の手紙はありますか？
 2　*...Ate no tegami wa ari masuka?*

¿Dónde está el buzón?
1 ポストはどこですか？
2 *Posuto wa doko desuka?*

¿Han recogido ya las cartas?
1 郵便物の回収は終わりましたか？
2 *Yûbin butsu no kaisyû wa owari masitaka?*

¿Hay servicio los días festivos?
1 休日にも回郵便物の回収はありますか？
2 *Kyû-jitsu nimo yûbin butsu no kaisyû wa arimasuka?*

Haga el favor de certificarme esta carta.
1 この手紙を証明していただけますか？
2 *Kono tegami wo syoumei site itadake masuka?*

Deseo enviar un telegrama a Madrid.
1 マドリッドに電報を打ちたい。
2 *Madoriddo ni den-pou wo uchitai.*

¿Cuánto cobran por palabra?
1 一語いくらですか？
2 *Ichi-go ikura desuka?*

¿Cuánto vale este telegrama?
1 この電報はいくらですか？
2 *Kono den-pou wa ikura desuka?*

El teléfono

電話

El teléfono público.
1 公衆電話
2 *Kousyû denwa.*

La central, la centralita.
1 電話局、電話交換局。
2 *Denwa-Kyoku, denwa koukan-kyoku.*

El auricular.
1 受話器。
2 *Juwa-ki.*

市街　電話局

¿Cómo funciona este teléfono?
1 この電話はどう使うのですか？
2 *Kono denwa wa dou tsukau no desuka?*

¿Qué número tiene información?
1 番号案内は何番ですか？
2 *Ban-gou an-nai wa nan-ban desuka?*

Señorita póngame con el n.° ...
1 ...番と繋いでください。
2 *...Ban to tsunaide kudasai.*

Deseo una conferencia con...
1 ...へ長距離電話をかけたい。
2 *...E chou-kyori denwa wo kaketai.*

¿Tardará mucho?
1 時間がかかりますか？
2 *Jikan ga kakari masuka?*

¿Es directo?
1 直通ですか？
2 *Chokutsû desuka?*

¿Qué número he de marcar?
1 何番を回せばよいのですか？
2 *Nan-ban wo mawaseba yoi no desuka?*

¿Puede hablar más despacio?
1 もう少しゆっくり話していただけますか？
2 *Mou sukosi yukkuri hanasite itadake masuka?*

Mi número de teléfono es el...
1 私の電話番号は...です。
2 *Watasi no denwa ban-gou wa ...ban desu.*

¿Puedo usar este teléfono?
1 この電話を使えますか？
2 *Kono denwa wo tsukae masuka?*

¡Oiga, oiga!　　1 もしもし。
　　　　　　　　　　2 *Mosi mosi.*

¿Con quién hablo?　　1 どなたですか？
　　　　　　　　　　　　　2 *Donata desuka'*

Soy...　　1 私は...です。
　　　　　　2 *Watasi wa ...desu.*

No contesta.　　1 留守です。
　　　　　　　　　2 *Rusu desu.*

Están comunicando.　　1　話し中です。
　　　　　　　　　　　　　　2　*Hanasi chû desu.*

¿Cómo está la conferencia que he pedido?
　1　お願いした長距離電話はどうなっていますか？
　2　*Onegai sita choukyori denwa wa dou natte imasuka?*

¿Puedo hablar con...?
　1　...さんとお話しできますか？
　2　*...San to ohanasi deki masuka?*

¿Está el señor...?　　1　...氏はいらっしゃいますか？
　　　　　　　　　　　　　2　*...Si ha irassyai masuka?*

¿Tardará mucho en regresar?
　1　戻るまで大分かかりますか？
　2　*Modoru made daibu kakari masuka?*

No cuelgue, por favor.　　1　切らないでください。
　　　　　　　　　　　　　　　2　*Kiranaide kudasai.*

¿Quiere tomar el encargo?
　1　伝言をお願いできますか？
　2　*Den-gon wo onegai dekimasuka?*

El teatro,	劇場、
el cine	映画館

En el teatro, en el cine.
　1　劇場　映画館で
　2　*gueki-jou eiga-kan de.*

El vestíbulo.　　1　ホール、ロビー。
　　　　　　　　　　2　*Hôru, robî.*

El bar.　　1　バー。
　　　　　　　2　*Bâ.*

La sala.　　1　サロン。
　　　　　　　2　*saron.*

El lavabo.　　1　トイレ。
　　　　　　　　2　*toire.*

El guardarropa.
　1　クローク。
　2　*kurôku.*

市街　劇場　映画館

La acomodadora.　1　案内係。
　　　　　　　　　　2　*An-nai gakari.*
El pasillo.　1　廊下
　　　　　　　2　*Rouka.*
El escenario.　1　舞台
　　　　　　　　2　*Butai.*
Las candilejas.　1　フットライト。
　　　　　　　　　2　*Futto raito.*
El telón.　1　幕。
　　　　　　2　*Maku.*
Las decoraciones.　1　舞台装置。
　　　　　　　　　　2　*Butai souchi.*
Los bastidores.　1　舞台裏、袖。
　　　　　　　　　2　*Butai-ura.*
La concha del apuntador. 1　プロンプターボックス。
　　　　　　　　　　　　　2　*Puronputâ bokkusu.*
Los palcos.　1　ボックス席。
　　　　　　　2　*Bokkusu-seki.*
El director de orquesta.　1　指揮者。
　　　　　　　　　　　　2　*Siki-sya.*
Los músicos.　1　演奏者。
　　　　　　　2　*Ensou-sya.*
La orquesta.　1　楽団、オーケストラ。
　　　　　　　2　*Gakudan, ôkesutora.*
Las butacas de platea.
　1　平土間席。
　2　*Hiradoma-seki.*
Las butacas del primer piso.
　1　一階席。
　2　*Ikkai-seki.*
El anfiteatro.　1　階上席。
　　　　　　　　2　*Kaijou-seki.*
General.　1　一般。
　　　　　　2　*Ippan.*
Los billetes, las localidades, las entradas.
　1　入場券。
　2　*Nyûjou-ken.*

El apuntador. 1 プロンプター。
2 *Puronputâ.*

El actor. 1 俳優。
2 *Haiyû.*

La actriz. 1 女優。
2 *Joyû.*

El coro. 1 コーラス。
2 *kôrasu.*

La bailarina. 1 ダンサー。
2 *Dansâ.*

El tenor. 1 テノール。
2 *Tenôru.*

El barítono. 1 バリトン。
2 *Bariton.*

El cómico. 1 喜劇俳優。
2 *kigueki-haiyû.*

La tiple. 1 ソプラノ。
2 *Sopurano.*

Una comedia. 1 喜劇。
2 *kigueki.*

Un melodrama. 1 メロドラマ。
2 *Mero-dorama.*

Una ópera. 1 オペラ。
2 *Opera.*

Una opereta. 1 オペレッタ。
2 *Operetta.*

Una zarzuela. 1 サルスエラ。
2 *Sarusuera.*

Un acto. 1 一幕。
2 *Hito-maku.*

Un entreacto. 1 幕合。
2 *Maku-ai.*

La media parte.
1 前半。
2 *Zen-han.*

Aplausos.
1 拍手喝采。
2 *Hakusyu-kassai.*

市街　劇場　映画館

Silbidos.
1 口笛。
2 *Kuchi-bue.*
La pantalla.
1 スクリーン。
2 *Sukurîn.*
La pantalla panorámica (grande).
1 パノラマスクリーン。
2 *Panorama sukurîn.*
Documental.
1 ドキュメンタリー。
2 *Dokyumentarî.*
Me gustaría ir al cine esta noche.
1 今晩映画に行きたい。
2 *Konban eiga ni ikitai.*
¿Podría usted decirme dónde hacen buen programa?
1 どこで良い映画を上映しているか教えていただけますか？
2 *Dokode yoi eiga wo jouei site-iruka osiete itadake masuka?*
Veamos la cartelera, los anuncios del periódico.
1 映画欄、新聞広告を見ましょう。
2 *Eiga-ran sinbun koukoku wo mi-masyou.*
En el cine... hacen un programa estupendo.
1 ...映画館で良い映画を上映しています。
2 *...Eigakan de yoi eiga wo jouei site-imasu.*
Hacen una película de estreno, de reestreno.
1 封切、再上映の映画を上映しています。
2 *Fûkiri, sai-jouei no eiga wo jouei site-iimasu.*
¿Hará el favor de indicarme a qué hora empieza la sesión?
1 何時に上映か教えていただけますか？
2 *Nan-ji ni jouei ka osiete itadake masuka?*

¿Cuánto dura la película, el programa?
1　上演時間はどのくらいですか？
2　*Jouen-jikan wa dono kurai desuka?*

En el teatro... hacen una buena función.
1　...劇場で良い公演があります。
2　*...Guekijou de yoi kouen ga arimasu.*

De platea, anfiteatro, delantera del primer piso...
1　平土間席、階上席、二階席の一列目。
2　*Hiradoma-seki, kaijou-seki, nikai-seki no ichi-retsu me.*

Que estuvieran tocando al pasillo central.
1　中央通路の隣で。
2　*Chûou tsûro no tonari de.*

Me quedo éstas. ¿Cuánto es?
1　この席をとります。いくらですか？
2　*Kono seki wo torimasu. Ikura desuka?*

Quisiera ir al guardarropa.
1　クロークへ行きたい。
2　*Kurôku e ikitai.*

¿Haría el favor de un programa?
1　プログラムをいただけますか？
2　*Puroguramu wo itadake masuka?*

¿A qué hora empiezan?
1　何時に開演ですか？
2　*Nan-ji ni kaien desuka?*

¿Dura mucho la función?
1　上演時間は長いですか？
2　*Jouen-jikan wa nagai desuka?*

¿Cuántos entreactos hay?
1　幕合はいくつありますか？
2　*Maku-ai wa ikutsu arimasuka?*

¿Cuánto dura cada entreacto?
1　幕合は何分間ですか？
2　*Maku-ai wa nan-pun kan desuka?*

¿A qué hora termina?
1　何時に終了しますか？
2　*Nan-ji ni syûryou simasuka?*

De compras*

買物

Los grandes almacenes

デパート

Planta baja.　　1　一階。
　　　　　　　　　　2　*Ikkai.*
Primer, segundo, tercer piso.
　1　二階、三階、四階
　2　*Nikai, san-kai, yon-kai.*
El ascensor.　　1　エレベーター。
　　　　　　　　　　2　*Erebêta.*
Las escaleras.　1　階段。
　　　　　　　　　　2　*Kaidan.*
Las escaleras mecánicas.　1　エスカレーター。
　　　　　　　　　　　　　　　　2　*Eskarêtâ.*
Blanco, blanca.　1　白。
　　　　　　　　　　　2　*Siro.*
Las secciones.　1　売り場。
　　　　　　　　　　2　*Uri-ba.*
El encargado de sección.　1　売り場責任者。
　　　　　　　　　　　　　　　　2　*Uriba sekinin-sya.*
El dependiente, la dependienta.
　1　店員。
　2　*Ten-in.*
El mostrador.　1　商品棚。
　　　　　　　　　　2　*Syouhin-dana.*
Las vitrinas.　　1　ショーケース。
　　　　　　　　　　2　*Syô kêsu.*
Los escaparates.　1　ショーウインドー。
　　　　　　　　　　　2　*Syô uindô.*
Las estanterías.　1　陳列棚。
　　　　　　　　　　　2　*Chin-retsu dana.*

---

*Véase también p.83, **En la ciudad**.

La caja.　　1　会計、レジ。
　　　　　　　　2　*Kaikei, reji.*
La cajera.　1　会計係。
　　　　　　　　2　*Kaikei gakari.*
¿En qué sección podré encontrar un
instrumento típico de aquí?
　1　この土地の典型的な楽器はどの売り場にありますか？
　2　*Kono tochi no tenkei-teki na gakki wa dono uriba ni*
　arimasuka?
Sección de perfumería, regalos, juguetería,
deportes, fotografía, papelería, librería,
calzados, mobiliario, peletería.
　1　化粧品、贈答品、おもちゃ、スポーツ、写真、文具、書籍
　靴、家具、毛皮売り場。
　2　*Kesyou-hin, zoutou-hin, omocha, supôtsu, syasin,*
　bun-gu, kutsu, kagu, kegawa uriba.
¿La sección de camisería, por favor?
　1　シャツ売り場はどこですか？
　2　*Syatsu uriba wa doko desuka?*

Prendas de caballero

紳士服

Abrigo.
　1　コート。
　2　*Kôto.*
Americana.
　1　ブレザー。
　2　*Buerezâ.*
Bastón.
　1　杖。
　2　*Tsue.*

買物　紳士服

Botas. 1 ブーツ。
2 *Bûtsu.*

Bufanda. 1 マフラー。
2 *Mafurâ.*

Calcetines. 1 ソックス。
2 *Sokkusu.*

Calzoncillos. 1 パンツ。
2 *Pantsu.*

Camisa. 1 シャツ。
2 *Syatsu.*

Camiseta. 1 Tシャツ。
2 *Tî-syatsu.*

Cinturón. 1 ベルト。
2 *Beruto.*

Corbata. 1 ネクタイ。
2 *Nekutai.*

Chaleco. 1 ベスト。
2 *Besuto.*

Gabardina. 1 コート。
2 *Kôto.*

Gemelos. 1 カフスボタン。
2 *Kafusu botan.*

Gorra. 1 帽子。
2 *Bousi.*

Guantes. 1 手袋。
2 *Te-bukuro.*

Impermeable. 1 レインコート。
2 *Rein kôto.*

Jersey. 1 セーター。
2 *Sêtâ.*

Pantalón. 1 ズボン。
2 *Zubon.*

Pantalón de deporte.
1 スポーツパンツ。
2 *Supôtsu pantsu.*

Pantalón de esquí.
1 スキーパンツ。
2 *Sukî pantsu.*

Los grandes almacenes

1. Entrada 入口
2. Escaparate
   ショーウインドー
3. Carteles ポスター
4. Sección de discos
   レコード売り場
5. Estanterías 商品棚
6. Mostradores 陳列台
7. Manguera contra incendios
   消防ホース
8. Extintor 消火器
9. Portero 守衛
10. Sección de fotografía
    写真部門

11. Probador 試着室
12. Sección de juguetes
    おもちゃ売り場
13. Maniquí マネキン
14. Dependienta 店員
15. Sección de bolsos y artículos
    de piel 鞄・革製品売り場
16. Sección de confección de
    señora 婦人新製品売り場
17. Escaleras 階段
18. Escaleras mecánicas
    エスカレーター
19. Sección de tejidos 布売り場

デパート

1. Deportes スポーツ
2. Perfumería. 化粧品売り場
3. Cafetería カフェテリア
4. Camarero ウエィター
5. Taburetes スツール
6. Oficinas para la venta a
   plazos クレジット払い窓口
7. Artículos de recuerdo 記念品
8. Indicación de los artículos
   売り場案内
9. Ascensor エレベーター
10. Ascensorista
    エレベーターガール
11. Cuadro luminoso que señala
    la situación del ascensor
    階表示電光盤
12. Intérprete 通訳

13. Cajera 会計嬢
14. Registradora レジ
15. Cajón 引き出し
16. Albarán de venta 受取書
17. Papel engomado
    セロテープ
18. Paquete 包み
19. Rollo de papel 巻き包装紙
20. Cordel ひも
21. Toallas タオル
22. Sección de novedades para
    señora
    婦人向け新製品売り場
23. Venta de artículos del día
    本日の商品販売
24. Guantes y medias
    手袋とストッキング

Pantalón corto. 　1 半ズボン。
　　　　　　　　　2 *Han-zubon.*
Pañuelo de bolsillo. 　1 ポケットチーフ。
　　　　　　　　　　　　2 *Poketto chîfu.*
Pañuelo para el cuello. 　1 ネックチーフ。
　　　　　　　　　　　　　2 *Nekku chîfu.*

Paraguas. 　1 傘。
　　　　　　2 *Kasa.*
Pijama. 　1 パジャマ。
　　　　　2 *Pajama.*
Smoking. 　1 スーモキング。
　　　　　　2 *Sumôkingu.*
Sombrero de fieltro. 　1 フェルト帽。
　　　　　　　　　　　2 *Feruto bou.*

Tirantes. 　1 サスペンダー。
　　　　　　2 *Sasupendâ.*
Zapatillas. 　1 スリッパ。
　　　　　　　2 *Surippa.*
Zapato negro, marrón, combinados.
　1 黒靴、茶靴、混合。
　2 *Kuro-kutsu, cha-kutsu, kon-gou.*

Prendas de señora

婦人服

───────────

Abanico. 　1 扇、扇子。
　　　　　　2 *Ougui, sensu.*
Abrigo. 　1 コート。
　　　　　2 *Kôto.*
Bata.
　1 スモック。
　2 *Sumokku.*
Blusa.
　1 ブラウス。
　2 *Burausu.*

買物　婦人服

Bolso.　　　1　ハンドバッグ。
　　　　　　　2　*Hando baggu.*
Bragas.　　1　パンツ。
　　　　　　　2　*Pantsu.*
Camisón.　1　ネグリジェ。
　　　　　　　2　*Negurije.*
Cartera.　　1　財布。
　　　　　　　2　*Saifu.*
Cinturón.　1　ベルト。
　　　　　　　2　*Beruto.*
Combinación.　　1　スーツ。
　　　　　　　2　*Sûtsu.*
Cuello de piel.　1　毛皮マフラー。
　　　　　　　2　*Kegawa mafurâ.*
Chal.　　　1　ショール。
　　　　　　　2　*Syôru.*
Chaquetón.　1　半コート。
　　　　　　　2　*Han kôto.*
Faja.　　　1　ガードル。
　　　　　　　2　*Gâdoru.*
Falda.　　　1　スカート。
　　　　　　　2　*Sukâto.*
Falda abierta.　　1　たっぷりしたスカート。
　　　　　　　2　*Tappuri sita sukâto.*
Falda ceñida.　　1　締まったスカート。
　　　　　　　2　*Simatta sukâto.*
Falda plisada.　　1　プリーツスカート。
　　　　　　　2　*Purîtsu sukâto.*
Gabardina.　1　レインコート。
　　　　　　　2　*Rein kôto.*
Guantes.　1　手袋。
　　　　　　　2　*Te-bukuro.*
Jersey.　　1　セーター。
　　　　　　　2　*Sêtâ.*
Medias nylón.　　1　ナイロンストッキング。
　　　　　　　2　*Nairon sutokkingu.*

Medias de seda.
1 シルクストッキング。
2 *Siruku sutokkingu.*

Monedero.
1 小銭入れ。
2 *Kozeni ire.*

Pañuelos de hilo.
1 リネンハンカチ。
2 *Rinen hankachi.*

Paraguas.
1 傘。
2 *Kasa.*

Pijama.
1 パジャマ。
2 *Pajama.*

Salto de cama.
1 ナイトガウン。
2 *Naito gaun.*

Seda artificial.
1 人工シルク。
2 *Jinkou siruku.*

Seda natural.
1 天然シルク。
2 *Ten-nen siruku.*

Sombrero　1　帽子。
2 *Bousi.*

Sostenes, sujetadores.　　1 ブラジャー。
2 *Burajâ.*

Traje sastre.　　1 仕立て服。
2 *Sitate fuku.*

Traje de noche.　　1 夜会服。
2 *Yakai fuku.*

Zapatos de ante.
1 バックスキン靴
2 *Bakku-sukin gutsu.*

Zapatos marrón, negro, combinados.
1 黒靴、茶靴、混合。
2 *Kuro-kutsu, cha-kutsu, kon-gou.*

洋品

1. Slip パンツ
2. Camisa ランニング
3. Calcetines ソックス
4. Cinto ベルト
5. Tirantes サスペンダー
6. Camisa シャツ
7. Corbata ネクタイ
8. Paraguas plegable
   折り畳み傘
9. Pañuelo para cabeza
   ヘッドスカーフ
10. Guantes 手袋
11. Camisa シャツ
12. Lazo 蝶ネクタイ
13. Gemelos カフスボタン
14. Sombrero de señora
    婦人帽
15. Bolso ハンドバッグ
16. Pañuelos ハンカチーフ
17. Boina ベレー帽

Prendas de vestir

18. Sombrero de caballero
    紳士帽
19. Ala つば
20. Pinza ダーツ
21. Copa クラウン
22. Lazo o banda リボン
23. Borde 縁
24. Medias ストッキング
25. Sostén ブラジャー
26. Combinación スリップ
27. Gorro de lana deportivo
    毛スポーツ帽
28. Gafas 眼鏡
29. Bufanda. マフラー
30. Mañanita ベッドジャケット
31. Jersey sin manga
    チョッキ
32. Botón de fantasía
    ファンシーボタン
33. Corchetes ホック

En la camisería
シャツ店で

Deseo dos camisas blancas y otras dos de color.
1   白いシャツ二枚と色のシャツ一枚が欲しい。
2   *Siroi syatsu ni-mai to iro no syatsu ichi-mai ga hosî.*

Quisiera una camisa algo típica, como recuerdo.
1   記念にこの土地の典型的なシャツが欲しいのですが。
2   *Kinen ni kono tochi no ten-kei teki na syatsu ga hosî no desuga.*

De hilo, de nylón.
1   綿、ナイロン。
2   *Men, nairon.*

Esta tela es muy fina. ¿Es de hilo?
1   この生地はとても薄いですね、綿ですか？
2   *Kono kiji wa totemo usui desune, men desuka?*

¿Me irá bien esta medida?
1   これは私のサイズですか？
2   *Kore wa watasi no saizu desuka?*

El cuello me va un poco justo.
1   首が少しきつい。
2   *Kubi ga sukosi kitsui.*

Probaremos una talla mayor.
1   一サイズ上を見てみましょう。
2   *Ichi saizu ue wo mite mimasyou.*

Póngame media decena de camisetas con manga, sin mangas.
1   袖付き、袖無しのTシャツを６枚お願いします。
2   *Sode-tsuki, sode-nasi no tî-syatsu wo roku-mai onegai simasu.*

¿De verano o de invierno?
1   夏物ですか、冬物ですか？
2   *Natsu-mono desuka, fuyu-mono desuka?*

買物　シャツ店

Hágame el favor de enseñarme las corbatas.
1　ネクタイを見せて下さい。
2　*Nekutai wo misete kudasai.*

Quiero ver los modelos que se llevan esta primavera.
1　この春流行しているモデルを見たいと思います。
2　*Kono haru ryûkou siteiru moderu wo mitai to omoimasu.*

Las quiero de seda natural, artificial.
1　天然シルク、人工シルクで。
2　*Ten-nen siruku, jin-kou siruku de.*

Déme estas tres.
1　この3枚を下さい。
2　*Kono san-mai wo kudasai.*

Pañuelos de bolsillo.
1　ポケットチーフ。
2　*Poketto chîfu.*

Quisiera ver las gabardinas y paraguas.
1　レインコートと傘を見たい。
2　*Reinkôto to kasa wo mitai.*

¿Cuánto vale este paraguas?
1　この傘はいくらですか？
2　*Kono kasa wa ikura desuka?*

Lo deseo más barato.
1　もう少し安い品が欲しい。
2　*Mou sukosi yasui sina ga hosî.*

¿Para comprar unos guantes?
1　手袋はどんなものがありますか？
2　*Te-bukuro wa don-na mono ga ari-masuka?*

Ie quedo éstos.
1　こちらをいただきます。
2　*Kochhira wo itadaki masu.*

Ahora quisiera comprar un jersey.
1　今度はセーターを見たい。
2　*Kondo wa sêtâ wo mitai.*

買物　洋服店

Abierto, cerrado, con mangas, sin mangas, de punto grueso, de punto delgado.

1 開いた、閉じた、袖付き、袖無し、厚手ニット、薄手ニット。

2 *Hiraita, tojita, sode-tsuki, sode-nasi, atsude-nitto, usude-nitto.*

Lo deseo de un gris oscuro.

1 濃いグレーをお願いします。

2 *Koi gurê wo onegai simasu.*

Este me gusta.

1 これが気に入りました。

2 *Korega kini-iri masita.*

¿Cuánto importa todo?

1 全部でいくらですか？

2 *Zen-bu de ikura desuka?*

¿Dónde debo pagar.

1 どこで支払うのですか？

2 *Dokode si-harau no desuka?*

La casa de modas*

洋服店

Quisiera comprar un vestido confeccionado.

1 既成のワンピースを買いたいと思います。

2 *Kisei no wan-pîsu wo kaitai to omoi masu.*

Algodón.

1 綿。

2 *Men.*

Seda natural.

1 天然シルク。

2 *Ten-nen siruku.*

Lana.

1 毛。

2 *Ke.*

---

*Véase también p. 223, **Las medidas.**

買物　洋服店

Estambre.　　1　梳毛
　　　　　　　　2　*Somou.*

Hilo.　1　綿。
　　　　2　*Men.*

Poliester.　1　ポリエステル。
　　　　　　　2　*Poriesuteru.*

Terciopelo.　1　ビロード。
　　　　　　　2　*Birôdo.*

Nilón.　1　ナイロン。
　　　　2　*Nairon.*

De punto.　1　ニット。
　　　　　　2　*Nitto.*

Escotado, no escotado.
　1　襟ぐり、襟ぐり無し。
　2　*Eri-guri, eri-guri nasi.*

Con, sin mangas.　　　1　袖付き、袖無し。
　　　　　　　　　　　　2　*Sode-tsuki, sode-nasi.*

Mangas largas, cortas.
　1　長袖、半袖。
　2　*Naga-sode, han-sode.*

Abierto, cerrado.　　1　開いた、閉じた。
　　　　　　　　　　2　*Hiraita, tojita.*

Este gris claro me gusta.
　1　このグレーは気に入りません。
　2　*Kono gurê wa kini-iri masen.*

Me lo probaré.
　1　試着してみます。
　2　*Si-chaku site mimasu.*

Me está un poco largo y ancho de caderas.
　1　私には少し長く、腰回りが大きすぎます。
　2　*Watasi niha sukosi nagaku, kosi mawari ga ôki sugui-masu.*

Me hace una arruga aquí.
　1　ここにしわがよります。
　2　*Koko ni siwa ga yori-masu.*

Deseo también un abrigo.
　1　コートも見せてください。
　2　*Kôto mo misete kudasai.*

Fibra acrílica.　　1　アクリル繊維。
　　　　　　　　　　2　*Akuriru sen-i.*

Hilo, lana.　　1　綿、毛。
　　　　　　　2　*Men, ke.*

Seda natural, artificial.
　1　天然シルク、人工シルク。
　2　*Ten-nen siruku, jin-kou siruku.*

Terciopelo, lavable.　　1　ビロード、洗濯可能。
　　　　　　　　　　　2　*Birôdo, sentaku kanou.*

Lavable.　　1　洗濯可能。
　　　　　　2　*Sen-taku kanou.*

Cuello ancho, estrecho.
　1　ゆったりした首回り、締まった首回り。
　2　*Yuttari sita kubi-mawari, simatta kubi-mawari.*

No, de cheviot.　　1　いいえ、チェビオットで。
　　　　　　　　2　*Îe, chebiotto de.*

Franela.　　1　リネン。
　　　　　　2　*Rinen.*

Sport.　　1　スポーツ。
　　　　　2　*Supôtsu.*

Entretiempo.　　1　合服。
　　　　　　　2　*Ai-fuku.*

Invierno.　　1　冬服。
　　　　　　2　*Fuyu-fuku.*

De vestir.　　1　正装の。
　　　　　　2　*Seisou no.*

Desearía un conjunto de mañana.
　1　昼のスーツを見たいのですが。
　2　*Hiru no sûtsu wo mitai no desuga.*

Blusa blanca, falda negra plisada y chaquetón a base de encarnado.
　1　白いブラウス、黒いロングプリーツスカート、えんじ調の半コート。
　2　*Siroi burausu, kuroi rongu purîtsu sukâto, en-ji chou no han kôto.*

Blusa de seda, de nilón.
　1　シルクブラウス、ナイロンブラウス。
　2　*Siruku burausu, nairon burausu.*

買物　洋服店

Blusa de seda, de nilón.
  1 シルクブラウス、ナイロンブラウス。
  2 *Siruku burausu, nairon burausu.*

Falda de franela, de lana.
  1 リネンスカート、ニットスカート。
  2 *Rinen sukâto., mitto sukâto.*

Chaquetón de última moda.
  1 最新流行の半コート。
  2 *Saisin ryûkou no han kôto.*

Es liso; me gustaría con algún dibujo.
  1 これは無地ですね、柄ものが良いのですが。
  2 *Kore wa muji desune, gara mono ga yoi no desuga.*

Enséñenme los dibujos que tienen.
  1 ある柄を見せてください。
  2 *Arugara wo misete kudasai.*

Este me gusta.
  1 これが気に入りました。
  2 *Korega kini-iri masita.*

Pasaré al probador.
  1 試着室へ行きます。
  2 *Sichaku sitsu e iki masu.*

¿Cuánto sube todo?   1 全部でいくらですか？
  2 *Zenbu de ikura desuka?*

¿Pueden enseñarme modelos de traje sastre?
  1 仕立て服のモデルを見せてもらえますか？
  2 *Sitate fuku no moderu wo misete morae masuka?*

Chaqueta sastre.   1 仕立てコート。
  2 *Sitate kôto.*

De fantasía.   1 ファンシーな。
  2 *Fansî na.*

Seda estampada.   1 プリントシルク。
  2 *Purinto siruku.*

Esta ropa me gusta y el modelo también.
  1 この服は気に入りました、モデルも。
  2 *Kono fuku wa kini-iri masita, moderu mo.*

¿Cuánto cuesta un traje sastre con esta tela?
  1 この生地で仕立て服はいくらかかりますか？
  2 *Kono kiji de sitate fuku wa ikura kakari masuka?*

¿Ese otro modelo, en qué otra tela se puede confeccionar?
1 この別のモデルはどの布地で仕立てられますか？
2 *Kono betsu no moderu wa dono kiji de sitate raremasuka?*

En tela o gasa.
1 布、ガーゼ。
2 *Nuno, gâze.*

Terciopelo.
1 ビロード。
2 *Birôdo.*

Seda.
1 絹。
2 *Kinu.*

Brocado.　1 ブロケード。
2 *Burokêdo.*

Nylón.　1 ナイロン。
2 *Nairon.*

¿Tiene algún otro modelo?
1 別のモデルはありますか？
2 *Betsu no moderu wa arimasuka?*

Es moda de París, Turín, Inglaterra, americana.
1 これは、パリ、トリノ、イギリス、アメリカの流行です。
2 *Kore wa Pari, Torino, Iguirisu, Amerika no ryûkou desu.*

Lo encuentro algo extremado.
1 少し過剰だと思います。
2 *Sukosi kajou dato omoi masu.*

¿Qué género es éste?
1 この布地は何ですか？
2 *Kono kiji wa nan desuka?*

Organdí.　1 オーガンジー。
2 *ôganjï.*

Muselina.　1 モスリン。
2 *Mosurin.*

Nylón.　1 ナイロン。
2 *Nairon.*

買物　洋服店

Desearía un vestido en terciopelo negro.
1 黒いビロードのワンピースを買いたい。
2 *Kuroi birôdo no wan-pîsu wo kaitai.*

Es una tela estampada.
1 これは柄ものの布地です。
2 *Kore wa gara mono no nunoji desu.*

Con encaje de blonda.
1 ブロンドレース付き。
2 *Burondo rêsu tsuki.*

¿El cinturón es de la misma tela?
1 ベルトは同じ生地ですか？
2 *Beruto wa onaji kiji desuka?*

Me gustaría la falda un poco larga y ceñida.
1 できれば少し長く、締まったスカートが良いです。
2 *Dekireba sukosi nagaku, simatta sukâto ga yoi desu.*

Me haré este modelo.
1 このモデルで仕立てましょう。
2 *Kono moderu de sitate masyou.*

¿Cuándo he de venir a hacerme la primera prueba?
1 いつ最初の試着をしに来ましょうか？
2 *Itsu saisyo no sichaku wo sini ki masyouka?*

Me corre muchísima prisa. El lunes salgo de viaje.
1 とても急を要します。月曜日に旅行に出発します。
2 *Totemo kyû wo you simasu. Guetsu-youbi ni ryokou ni syuppatsu simasu.*

¿Así cuándo podrán entregarme el vestido?
1 いつワンピースをお渡しいただけますか？
2 *Itsu wan-pîsu wo owatasi itadke masuka'*

¿La sección de sombreros?
1 帽子のコーナーはどちらですか？
2 *Bousi no kônâ wa dochira desuka?*

De paja.　　1 藁の。
　　　　　　　2 *Wara no.*

¿Qué vale éste?
1 これはいくらですか？
2 *Kore wa ikura desuka?*

La sastrería*　　　　　　　　　仕立て屋

Alfileres. 1 待ち針。
　　　　　2 *Machi bari.*
Agujas de coser.
　　　　　1 縫針。
　　　　　2 *Nui bari.*
Americana.
　　　　　1 ブレザー。
　　　　　2 *Burezâ.*
Botones.
　　　　　1 ボタン。
　　　　　2 *Botan.*
Carrete de hilo.　　1 糸巻。
　　　　　　　　　　2 *Ito-maki.*
Cierres.　1 チャック。
　　　　　2 *Chakku.*
Cinta.　1 リボン。
　　　　　2 *Ribon.*
Corchetes.　1 ホック。
　　　　　　　2 *Hokku.*
Cremallera.　1 ファスナー。
　　　　　　　2 *Fasunâ.*
Chaleco.　1 チョッキ。
　　　　　2 *Chokki.*
Dedal.　1 指抜き。
　　　　　2 *Yubi nuki.*
Estuche de costura.　1 裁縫箱。
　　　　　　　　　　　2 *Saihou bako.*
Hebilla.　1 バックル。
　　　　　2 *Bakkuru.*
Imperdible.　1 安全ピン。
　　　　　　　2 *An-zen pin.*
Pantalón.
1 ズボン。
2 *Zubon.*

*Veáse también p. 223, **Las medidas.**

買物　仕立て屋

Tijeras.　　　1　鋏。
　　　　　　　　　2　*Hasami.*

Desearía un traje de entretiempo.
　　1　春秋もののスーツを一着お願いしたいと思います。
　　2　*Haru-aki mono no sûtsu wo icchaku onegai sitai to omoi masu.*

A medida.　　　1　オーダーメイド。
　　　　　　　　　2　*Ôdâ meido.*

De confección.　　1　既成の。
　　　　　　　　　　2　*Kisei no.*

Claro u obscuro.　　1　明るい、暗い。
　　　　　　　　　　　2　*Akarui, kurai.*

Azul marino, gris, marrón.
　　1　紺、グレー、茶。
　　2　*Kon, gurê, cha.*

Éste es el que más me gusta.
　　1　これが一番気に入りました。
　　2　*Kore ga ichi-ban kini-iri masita.*

Vamos a probarlo.
　　1　試着してみましょう。
　　2　*Sichaku site mimasyou.*

Me viene pequeño.
　　1　私には小さいです。
　　2　*Watasi niwa chîsai desu.*

Sí, éste me viene mejor, pero hace una arruga en el hombro.
　　1　こちらの方がぴったりしますが、肩にしわがよります。
　　2　*Kochira no houga pittari simauga, kata ni siwa ga yorimasu.*

El forro no acaba de gustarme.
　　1　裏地がどうも気に入りません。
　　2　*Ura-ji ga doumo kini-iri masen.*

Deseo hacerme un traje.
　　1　スーツを一着注文したいと思います。
　　2　*Sûtsu wo icchaku chûmon sitai to omoi masu.*

Liso, de rayas, de cuadros...
　　1　無地、縞、チェック。
　　2　*Muji, sima, chekku.*

Trajes de caballero　　　　　　　　紳士服

1. Polo ポロシャツ
2. Batín 短いガウン
3. Bata ガウン
4. Cazadora ジャンパー
5. Camisa deportiva
   スポーツシャツ
6. Chaqueta ジャケット
7. Abrigo オーバー
8. Gabardina コート
9. Frac モーニング

10. Jersey セーター
11. Traje cruzado
    ダブルスーツ
12. Pantalón ズボン
13. Americana 背広
14. Camisa ワイシャツ
15. Cuello de la camisa
    襟ぐり
16. Solapa 襟
17. Corbata ネクタイ

De verano, de entretiempo, de invierno.
1　夏物、合服、冬物。
2　*Natsu-mono, ai-fuku, fuyu-mono.*

¿Tienen este mismo dibujo en gris?
1　これと同じ柄でグレーはありますか？
2　*Koreto onaji gara de gurê wa ari masuka?*

¿Qué clase de género es?
1　この布地の種類は何ですか？
2　*Kono kiji no syurui wa nan desuka?*

Vestidos señora

婦人服

1. Pijama ハジャマ
2. Conjunto de chaqueta y blusa
   de punto ニットスーツ
3. Traje chaqueta
   ジャケットースツ
4. Falda, スカート
5. Chaqueta, ジャケット
6. Bufanda, マフラー
7. Guantes, 手袋
8. Traje de noche largo
   イブニングドレス（ロング）
9. Traje de noche corto
   イブニングドレス
   （ショート）

10. Pantalón y blusa
    ズボンとブラウス
11. Abrigo, コート
12. Sombrero, 帽子
13. Falda y blusa,
    スカートとブラウス
14. Traje de tarde
    アフタヌーンドレス
15. Traje deportivo
    スポーツスーツ
16. Vestido liso de minifalda
    無地ミニワンヒース

¿Qué cuesta un traje de esta calidad?

1 この品質のスーツの値段はどのくらいですか？
2 *Kono hin-sitsu no sûtsu no nedan wa dono kurai
desuka?*

Me interesaría que me lo hicieran en seguida.
1 すぐに作っていただけると嬉しいのですが。
2 *Sugu ni tsukutte itadakeru to uresî no desuga.*

¿Se paga por adelantado o a su entrega?
1 代金は前払いですか、それとも受取時ですか？
2 *Daikin wa mae-barai desuka, soretomo uketori-ji desuka?*

Me quedo con este color.
1 この色にします。
2 *Kono iro ni simasu.*

Me gusta un poco ancho.
1 もう少し幅広の方が良いです。
2 *Mou sukosi haba-hiro no hou ga yoi desu.*

Abierto, cerrado.
1 開いた、閉じた。
2 *Aita, tojita.*

Con cinturón, sin cinturón.
1 ベルト付き、ベルト無し。
2 *Beruto tsuki, beruto nasi.*

Solapa ancha.　　1 幅広襟。
　　　　　　　　　　2 *Haba-hiro eri.*

¿Cuándo estará?
1 いつ仕上がりますか？
2 *Itsu si-agari masuka?*

La zapatería

靴店

Deseo un par de zapatos.
1 靴を一足買いたい。
2 *Kutsu wo issoku kaitai.*

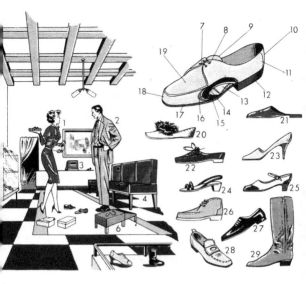

La zapatería 靴屋

1. Dependienta 店員
2. Cliente 客
3. Registradora レジ
4. Diván カウチ
5. Calzador 靴べら
6. Probador 試着台
7. Cordón ひも
8. Ojal ひも穴
9. Lengüeta 舌皮
10. Contrafuerte かかと皮
11. Talón かかと
12. Tacón ヒール
13. Cambrillón 内底
14. Plantilla 底敷き
15. Vira 当て皮

16. Forro 上張り
17. Suela 靴底
18. Puntera つま先
19. Pala 靴の甲
20. Zapatilla de señora
    婦人スリッパ
21. Zapatillas de caballero
    紳士スリッパ
22, 23, 24 y 25. Zapatos de
    señora 婦人靴
26. Bota deportiva
    スポーツブーツ
27. Zapato de caballero 紳士靴
28. Mocasín モカシン
29. Bota de montar 乗馬靴

De color marrón, negros, combinados.
 1 黒、茶、混合。
 2 *Kuro, cha, kongou.*
Con piso de suela, de crepé, de goma.
 1 靴底付き、クレープソール、ゴム底。
 2 *Kutsu-zoko tsuki, kurêpu-sôru, gomu-zoko.*
Me aprietan un poco.　　1　少しきついです。
　　　　　　　　　　　　　　　2　*Sukosi kitsui desu.*

Me son un poco grandes.
 1 私には少し大きいです。
 2 *Watasi niwa sukosi ôkî desu.*
**Haga el favor de enseñarme el modelo que está
en el escaparate con el número...**
 1 ショーウインドーにあるモデルを見せてください、サイズ
 は...です。
 2 *Syô uindô ni aru moderu wo misete kudasai, saizu
 wa ...desu.*

La joyería-relojería*

時計宝石店

Brazalete.	1	ブレスレット。
	2	*Buresuretto.*
Brillantes.	1	ブリリアントカットのダイアモンド。
	2	*Buririanto katto no daia-mondo.*
Collar.	1	首輪、ネックレス。
	2	*Kubiwa, nekkuresu.*
Esmeralda.	1	エメラルド。
	2	*Emerarudo.*
Gemelos.		
	1	カフスボタン。
	2	*Kafusu botan.*
Oro.	1	金。
	2	*Kin.*

*Véase también p. 167, **Objetos para regalo**.

買物　時計·宝石店

Pendientes.　1　イヤリング。
　　　　　　　　2　*Iya-ringu.*
Perlas.　1　真珠、パール。
　　　　　　2　*Sin-ju, pâru.*
Plata.　1　銀。
　　　　2　*Guin.*
Platino.　1　プラチナ。
　　　　　　2　*purachina.*
Pulsera.　1　腕輪、ブレスレット。
　　　　　　2　*Udewa, buresuretto.*
Reloj.　1　時計。
　　　　2　*Tokei.*
Reloj de pulsera.　1　腕時計。
　　　　　　　　　2　*Ude dokei.*
Reloj de pared.　1　壁時計。
　　　　　　　　2　*Kabe dokei.*
Reloj de torre.　1　柱時計。
　　　　　　　　2　*Hasira dokei.*
Reloj de péndulo.　1　振り子時計。
　　　　　　　　　2　*Furiko dokei.*
Reloj de cuclillo.　1　鳩時計。
　　　　　　　　　2　*Hato dokei.*
Despertador.　1　目覚まし時計。
　　　　　　　2　*Mezamasi dokei.*
Las agujas, saetillas, manecillas.
　1　針。
　2　*Hari.*
El minutero.　1　分針。
　　　　　　　2　*Fun-sin.*
Esfera.　1　文字盤。
　　　　　2　*Moji-ban.*
Automático.　1　自動。
　　　　　　　2　*Jidou.*
Cronómetro.
　1　ストップウオッチ。
　2　*Sutoppu uocchi.*
Rubíes.　1　ルビー。
　　　　　2　*Rubî.*

Cadena.　　1　鎖。
　　　　　　　　2　*Kusari.*

Correa.　　1　ベルト。
　　　　　　　2　*Beruto.*

Rubí.
　1　ルビー。
　2　*Rubî.*

Solitario.
　1　一つはめダイアモンド。
　2　*Hitotsu hame daia-mondo.*

Sortija.
　1　宝石付き指輪。
　2　*Houseki tsuki yubi-wa.*

Hágame el favor de enseñarme relojes de pulsera.
　1　ブレスレット式の腕時計を見せてください。
　2　*Buresuretto siki no ude dokei wo misete kudasai.*

Para caballero, para señora.
　1　紳士物、婦人物。
　2　*Sinsi mono, fujin mono.*

De acero, pero que sea de buena marca.
　1　鋼鉄の良いメーカーの物をお願いします。
　2　*Koutetsu no yoi mêkâ no mono wo onegai simasu.*

Lo encuentro algo caro.
　1　少し高いと思います。
　2　*Sukosi takai to omoi masu.*

¿Tardarían muchos días en arreglarme este reloj?
　1　この時計を修理するには大分かかりますか？
　2　*Kono tokei wo syûri suruniwa daibu kakari masuka?*

Mi reloj se adelanta, se atrasa.
　1　この時計は遅れる、進む。
　2　*Kono tokei wa okureru, susumu.*

¿Podría enviármelo al Hotel...? El conserje tendrá instrucciones.
　1　守衛に言っておくので、ホテルへ送ってもらえますか？
　2　*Syu-ei ni itte oku node, hoteru e okutte morae masuka?*

買物　理容院

¿Cuánto importará la reparación?

1　修理にいくらかかりますか？

2　*Syûri ni ikura kakari masuka?*

Cámbieme la correa de paso.

1　ついでにベルトも替えてください。

2　*Tsuide ni beruto mo kaete kudasai.*

La peluquería   理容院

En la peluquería.   1　理容院で。
                         2　*Riyou-in de.*

El peluquero.   1　理容士。
                     2　*Riyou-si.*

El sillón.   1　椅子。
                  2　*Isu.*

El peinador.   1　化粧ケープ。
                    2　*Kesyou kêpu.*

La toalla.   1　タオル。
                  2　*Taoru.*

El espejo.   1　鏡。
                  2　*Kagami.*

El peine.   1　櫛。
                 2　*Kusi.*

Las tijeras.   1　鋏。
                    2　*Hasami.*

El cepillo.   1　ブラシ。
                   2　*Burasi.*

La navaja.   1　ナイフ。
                  2　*Naifu.*

La brocha.   1　刷毛。
                  2　*Hake.*

El jabón.   1　石鹸。
                 2　*Sekken.*

El secador.   1　ドライヤー。
                   2　*Dorai-yâ.*

La maquinilla.
1 剃刀。
2 *Kami-sori.*

Los frascos de colonia, loción, masaje.
1 コロン、ローション、マッサージオイルのボトル。
2 *Koron, rôsyon, massâji oiru no botoru.*

El pulverizador, vaporizador.
1 スプレー。
2 *Supurê.*

La laca.
1 ヘアスプレー。
2 *Hea supurê.*

La loción.
1 ローション。
2 *Rôsyon.*

La fricción.
1 マッサージ。
2 *Massâji.*

El bigote. 1 口ひげ。
2 *Kuchi-higue.*

La barba. 1 ひげ。
2 *Higue.*

El champú. 1 シャンプー。
2 *Syan-pû.*

Las pinzas, los rulos.
1 ピン、ヘアカーラー。
2 *Pin, hea-kârâ.*

Las cremas. 1 クリーム。
2 *Kurîmu.*

El marcado. 1 ブロウ。
2 *Burou.*

El moño. 1 まとめ髪、巻髪。
2 *Matome gami, maki-gami.*

La trenza. 1 三つ編。
2 *Mitsu-ami.*

El rizo. 1 パーマ。
2 *Pâma.*

El secador. 1 ドライヤー。
2 *Dorai-yâ.*

買物　理容院　男性

La ondulación.　1　ウェーブ。
　　　　　　　　　2　*Uêbu.*
El tinte.　1　ヘアダイ。
　　　　　　2　*Hea-dai.*
La peluca.　1　かつら。
　　　　　　2　*Katsura.*
¿Puede usted darme hora?
　1　予約できますか？
　2　*Yoyaku deki masuka?*
¿Tienen parking?　　1　駐車場はありますか？
　　　　　　　　　　2　*Chûsya jou wa ari masuka?*
¿Tendré que esperar mucho?
　1　大分待つ必要がありますか？
　2　*Daibu matsu hitsuyou ga ari-masuka?*
Tengo prisa.　1　急いでいます。
　　　　　　　2　*Isoide imasu.*

De caballeros

男性

En la peluquería de caballeros.
　1　男性理容院で
　2　*Dan-sei biyou-in de.*
Deseo afeitarme.　1　ひげを剃りたい。
　　　　　　　　2　*Higue wo soritai.*
Hágame masaje.　1　マッサージをお願いします。
　　　　　　　　2　*Massâji wo onegai simasu.*
Arrégleme el bigote.
　1　口ひげを整えてください。
　2　*Kuchi-higue wo totonoete kudasai.*
Córteme el pelo a navaja.
　1　髪をそってください。
　2　*Kami wo sotte kudasai.*
Córteme el pelo a tijera.
　1　髪を切ってください。
　2　*Kami wo kitte kudasai.*

Lo deseo un poco corto.
  1 少し短くしてください。
  2 *Sukosi mijikaku site kudasai.*
Arrégleme sólo el cuello y las patillas.
  1 首回りともみあげだけ整えてください。
  2 *Kubi mawari to momi-ague dake totonoete kudasai.*
No corte mucho.　　1 あまり切らないでください。
　　　　　　　　　　　2 *Amari kiranaide kudasai.*
Un poco más de los lados.
  1 二指強。
  2 *Futa-yubi kyou.*
Láveme la cabeza.　1 洗髪をお願いします。
　　　　　　　　　　　2 *Sen-patsu wo onegai simasu.*
Tengo caspa.　　1 フケが出る。
　　　　　　　　　2 *Fuke ga deru.*
Mi pelo es graso.　1 油っぽい髪です。
　　　　　　　　　　2 *Aburappoi kami desu.*
Me cae mucho pelo.　1 髪が良く抜ける。
　　　　　　　　　　　2 *Kami ga yoku nukeru.*
Hágame una fricción de colonia.
  1 コロンをつけてマッサージしてください。
  2 *Koron wo tsukete massâji site kudasai.*

De señoras

女性

Quisiera lavado y peinado.
  1 シャンプーとカットをお願いします。
  2 *Syan-pû to katto wo onegai simasu.*
Córteme sólo las puntas.
  1 毛先だけ揃えてください。
  2 *Kesaki dake soroete kudasi.*

買物　理容院　女性

Láveme la cabeza.
1 シャンプーをお願いします。
2 *Syan-pû wo onegai simasu.*

Que no esté muy caliente el agua.
1 お湯が熱過ぎないようにしてください。
2 *Oyu ga atsu-sugui nai youni site-kudasai.*

Deseo la permanente.
1 パーマをかけたい。
2 *Pâma wo kaketai.*

Quisiera teñirme... de rubio, rubio claro, castaño, negro, etc.
1 金髪、明るい金髪、栗色、黒に染めたい。
2 *Kin-patsu, akarui kin-patsu, kuri-iro, kuro no sometai.*

Sólo retocar el tinte.
1 ヘアダイの手直しだけお願いします。
2 *Hea-dai no te-naosi dake onegai simasu.*

Deseo mi color natural.
1 私の天然の色にしたい。
2 *Watasi no ten-nen no iro ni sitai.*

Es demasiado claro, oscuro.
1 明るすぎます、暗すぎます。
2 *Akaru sugui masu, kura sugui masu.*

Péineme la peluca.
1 かつらをとかしてください。
2 *Katsura wo tokasite kudasai.*

Hágame la mancura.
1 マニキュアをしてください。
2 *Mani-kyua wo site kudasai.*

Déjeme las uñas... cortas, largas, redondeadas, en punta.
1 爪を短く、長く、丸く、尖らせて切ってください。
2 *Tsume wo nijikaku, nagaku, maruku, togarasete kitte kudasai.*

Póngame laca transparente.
1 透明な艶だしをかけてください。
2 *Toumei na tsuya dasi wo kakete kudasai.*

La perfumería　　　化粧品店

Artículos de tocador
化粧品

Aceite bronceador.　1　サンオイル。
　　　　　　　　　　　2　*San oiru.*

Aceite de limpieza.　1　クレンジングオイル。
　　　　　　　　　　　2　*Kuren-jingu oiru.*

Colonia.　1　コロン。
　　　　　2　*Koron.*

Colorete compacto.　1　コンパクト。
　　　　　　　　　　　2　*Kon-pakuto.*

Colorete crema.　1　クリーム状頬紅。
　　　　　　　　　2　*Kurîmu-jou hôbeni.*

Rimmel.　1　マスカラ。
　　　　　2　*Masukara.*

Crema para afeitar.　1　ひげそりクリーム。
　　　　　　　　　　　2　*Higue-sori kurîmu.*

Crema antisolar.　1　日焼け止めクリーム。
　　　　　　　　　2　*Hiyake-dome kurîmu.*

Crema limpiadora.　1　クレンジングクリーム。
　　　　　　　　　2　*Kuren-jingu kurîmu.*

Crema para masaje.　1　マッサージクリーム。
　　　　　　　　　　2　*Massâji kurîmu.*

Crema nutritiva.　1　栄養クリーム。
　　　　　　　　2　*Eiyou kurîmu.*

Crema volátil.
　1　揮発クリーム。
　2　*Kihatsu kurîmu.*

Jabón perfumado.
　1　香り付き石鹸。
　2　*Kaori-tsuki sekken.*

買物 化粧品店 化粧品

Lápiz para las cejas. 1 眉ペンシル。
2 *Mayu pensiru.*
Lápiz para labios. 1 口紅。
2 *Kuchi-beni.*
Loción. 1 ローション。
2 *Rôsyon.*
Maquillaje compacto. 1 コンパクト化粧品。
2 *Konpakuto kesyou-hin.*
Maquillaje crema. 1 クリーム化粧品。
2 *Kurîmu kesyou-hin.*
Maquillaje en polvo. 1 パウダー化粧品。
2 *Paudâ kesyou-hin.*
Perfilador para los labios. 1 リップペンシル。
2 *Rippu pensiru.*
Perfume.
1 香水。
2 *Kousui.*
Polvos faciales.
1 フェイシャルパウダー。
2 *Feisyaru-paudâ.*
Pulverizador.
1 スプレー。
2 *Supurê.*
Regenerador.
1 レジェネレーター。
2 *Rejenerêtâ.*
Tintura instantánea.
1 インスタントカラー。
2 *Insutanto karâ.*
Tintura progresiva.
1 グラドゥエーションカラー。
2 *Guraduêsyon karâ.*
Tónico facial.
1 化粧水。
2 *Kesyou-sui.*
Tónico astringente.
1 引き締め化粧水。
2 *Hikisime kesyou-sui.*

Artículos de higiene
洗面用品

Cepillo de cabello.　1　ヘアブラシ。
　　　　　　　　　　　2　*Hea-burasi.*

Cepillo para dientes.　1　歯ブラシ。
　　　　　　　　　　　　2　*Ha-burasi.*

Depilatorio en cera.　1　脱毛ワックス。
　　　　　　　　　　　　2　*Datsumou wakkusu.*

Depilatorio en crema.　1　脱毛クリーム。
　　　　　　　　　　　　2　*Datsumou kurîmu.*

Depilatorio en polvo.　1　脱毛パウダー。
　　　　　　　　　　　　2　*Datsumou paudâ.*

Depilatorio líquido.　1　脱毛液。
　　　　　　　　　　　2　*Datsumou eki.*

Desodorante en crema.　1　デオドラントクリーム。
　　　　　　　　　　　　　2　*Deudoranto kurîmu.*

Desodorante líquido.　1　デオドラント液。
　　　　　　　　　　　2　*Deodoranto eki.*

Elixir dentífrico.　1　エリキシル。
　　　　　　　　　2　*Erikisiru.*

Lápiz desodorante.　1　デオドラントスティック。
　　　　　　　　　　2　*Deodoranto sutikku.*

Pasta dentífrica.
　1　歯磨粉。
　2　*Hamigaki-ko.*

Peine.
　1　櫛。
　2　*Kusi.*

Pinzas depiladoras.
　1　脱毛クリップ。
　2　*Datsumou kurippu.*

Polvos de talco.
　1　タルカムパウダー。
　2　*Tarukamu paudâ.*

Artículos de manicura
マニキュア用品

Cepillo para las uñas.　1 爪ブラシ。
　　　　　　　　　　　　　2 *Tsume burasi.*
Disolvente quita esmalte.
　1 マニキュア落とし。
　2 *Manikyua otosi.*
Esmalte.　　1 マニキュア。
　　　　　　　2 *Manikyua.*
Lima esmeril.　1 爪やすり。
　　　　　　　　2 *Tsume yasuri.*
Lima metal.　1 金属製爪やすり。
　　　　　　　2 *Kinzoku-sei tsume yasuri.*
Pulidor de uñas.
　1 爪磨き。
　2 *Tsume migaki.*
Tijeras para las pieles.　1 皮取りばさみ。
　　　　　　　　　　　　　2 *Kawatori basami.*
Tijeras para las uñas.　1 爪切り。
　　　　　　　　　　　　2 *Tsumekiri.*

La librería-papelería

書店、文房具店

El librero.　1 書店員。
　　　　　　　2 *Syoten-in.*
Un bolígrafo.　1 ボールペン。
　　　　　　　　2 *Bôru-pen.*
La pluma.　1 万年筆。
　　　　　　　2 *Man-nen hitsu.*
El rotulador.　1 マーカー。
　　　　　　　　2 *Mâkâ.*

El lápiz. 1 鉛筆。
2 *Enpitsu.*

Una cinta para la máquina de escribir.
1 タイプリボン。
2 *Taipu-ribon.*

Un cuaderno. 1 ノート、手帳。
2 *Nôto, techou.*

Una carpeta. 1 紙ばさみ、ファイル。
2 *Kami basami, fairu.*

Unas cuartillas. 1 原稿用紙。
2 *Guenkou-yousi.*

Papel carbón. 1 カーボンペーパー。
2 *Kâbon-pêpâ.*

Un diccionario español. 1 スペイン語の辞書。
2 *Supein-go no jisyo.*

Un libro de arte. 1 美術の本。
2 *Bijutsu no hon.*

En rústica. 1 仮綴じの。
2 *Karitoji no.*

Encuadernado. 1 製本した。
2 *Seihon sita.*

Edición. 1 版。
2 *Han.*

Publicación. 1 出版。
2 *Syuppan.*

Autor. 1 著者。
2 *Chosya.*

Grabado. 1 版画。
2 *Han-ga.*

Lámina en color. 1 色付き図版。
2 *Irotsuki zuban.*

Novela. 1 小説。
2 *Syousetsu.*

Catálogo. 1 カタログ。
2 *Katarogu.*

Guía turística.
1 旅行ガイド。
2 *Ryokou gaido.*

買物 書店、文房具店

Guía de ciudad.
  1 街のガイド。
  2 *Machi no gaido.*
Plano de la ciudad.
  1 市街図。
  2 *Sigai-zu.*
Mapa de carreteras.
  1 道路地図。
  2 *Douro-chizu.*
¿Tiene guías de la ciudad, de carreteras del país?
  1 街のガイド、国内道路地図はありますか?
  2 *Machi no gaido, kokunai douro-chizu wa arimasuka?*
Desearía tarjetas postales de la ciudad.
  1 この街の絵葉書が欲しいのですが。
  2 *Kono machi no e-hagaki ga hosî no desuga.*
Déme esas fotografías de vistas de la ciudad.
  1 この街の風景写真をください。
  2 *Kono machi no fûkei syasin wo kudasai.*
¿Dónde puedo comprar un mapa de carreteras, un plano de la ciudad...?
  1 どこで街の地図、道路地図を買うことができますか?
  2 *Dokode machi no chizu, douro.chizu wo kau koto ga dekimasuka?*
¿Podría adquirir un libro sobre la historia y arte de esta ciudad, de este país?
  1 この街、この国の歴史、芸術についての本を購入できますか?
  2 *Kono machi, kono kuni no rekisi, gueijutsu ni tsuite no hon wo kounyû dekimasuka?*
¿Puedo encontrarlo traducido en español?
  1 スペイン語版はありますか?
  2 *Supein-go ban wa arimasuka?*

Periódicos y revistas

新聞、雑誌

_____

Los periódicos, los diarios.
1 新聞。
2 *Sin-bun, zassi.*

Los periódicos deportivos.
1 スポーツ新聞。
2 *Supôtsu sin-bun.*

Déme un periódico de la mañana, de la tarde.
1 朝刊、夕刊をください。
2 *Choukan, yûkan wo kudasai.*

¿Tiene diarios ingleses, franceses, españoles, alemanes, portugueses...?
1 イギリス、フランス、スペイン、ドイツ、ポルトガルの新聞はありますか？
2 *Igurisu, Furansu, Supein, Doitsu, Porutigaru no Sin-bun wa arimasuka?*

Las revistas.
1 雑誌。
2 *Zassi.*

Deseo una revista infantil, deportiva...
1 児童雑誌、スポーツ雑誌を買いたい。
2 *Jidou zassi, supôtsu zassi wo kaitai.*

Tarjetas postales.
1 絵葉書。
2 *E-hagaki.*

Música y fotografía

音楽と写真

Música
音楽

Discos y cassettes.
1 レコードとカセット。
2 *Recôdo to kasseto.*

Música sinfónica.
1 交響曲。
2 *Koukyou-kyoku.*

Música moderna.
1 現代音楽。
2 *Guendai ongaku.*

Estéreo.
1 ステレオ。
2 *Sutereo.*

Alta fidelidad.
1 ハイファイステレオ。
2 *Hai-fai sutereo.*

Ópera.
1 オペラ。
2 *Opera.*

Jazz.
1 ジャズ。
2 *Jazu.*

Canción popular.
1 民謡。
2 *Min-you.*

Música de ballet.
1 バレー音楽。
2 *Barê-ongaku.*

¿Tiene cassettes, cintas magnetofónicas?
1 カセット、録音テープはありますか？
2 *Kasseto, rokuon têpu wa arimasuka?*

¿Tiene el disco de...?
1 ...のレコードはありますか？
2 *...No recôdo wa arimasuka?*

Desearía una radio, un magnetofón.
1　ラジオ、テープレコーダーを買いたい。
2　*Rajio, têpu recôda wo kaitai.*

Fotografía
写真

El aparato fotográfico.
1　カメラ。
2　*Kamera.*

Objetivo.　1　レンズ。
　　　　　　　2　*Renzu.*

Diafragma.　1　絞り。
　　　　　　　2　*Sibori*

Graduación del diafragma.
1　絞り調節。
2　*Sibori chousetsu.*

Botón de rebobinar.
1　フィルム巻戻しボタン。
2　*Firumu maki-modosi botan.*

Disparador.　　1　シャッター。
　　　　　　　　2　*Syattâ.*

Contador.　　1　カウンター。
　　　　　　　2　*Kauntâ.*

Visor.　　1　ファインダー。
　　　　　2　*Faindâ.*

Escala de distancias.　1　距離測定器。
　　　　　　　　　　　　2　*Kyori sokutei-ki.*

La funda.　　1　カバー。
　　　　　　　2　*Kabâ.*

El telémetro.
1　距離計。
2　*Kyori-kei.*

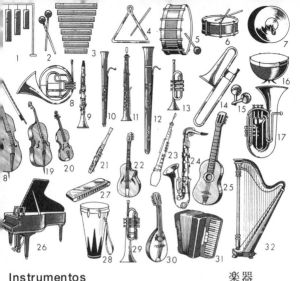

Instrumentos musicales

楽器

1. Campanas　ベル
2. Mazos　ばち
3. Xilófono　木琴
4. Triángulo　トライアングル
5. Bombo　大太鼓
6. Tambor　小太鼓
7. Platillos　シンバル
8. Trompa　ホルン
9. Clarinete　クラリネット
10. Fagot　ファゴット
11. Oboe　オーボエ
12. Contrafagot
　　コントラファゴット
13. Trompeta　トランペット
14. Trombón　トロンボーン
15. Maracas　マラカス
16. Timbal　ティンバル
17. Tuba　チューバ
18. Contrabajo y su arco
　　コントラバスと弦

19. Violoncelo　チェロ
20. Violín　ヴァイオリン
21. Flauta　フルート
22. Guitarra de jazz o eléctrica
　　エレキギター
23. Cuerno inglés
　　イギリス式角笛
24. Saxofón　サクソフォン
25. Guitarra　ギター
26. Piano de cola
　　グランドピアノ
27. Armónica　ハーモニカ
28. Conga　コンガ
29. Trompeta de jazz　ジャズト
　　ランペット
30. Bandurria o mandolina
　　マンダリン
31. Acordeón　アコーディオン
32. Arpa　ハープ

買物　写真

El disparador automático.
　1　自動シャッター。
　2　*Jidou syattâ.*
El parasol.
　1　パラソル。
　2　*Parasoru.*
La fotografía.
　1　写真。
　2　*Syasin.*
La ampliación.
　1　引き伸ばし。
　2　*Hikinobasi.*
Películas: infrarroja, pancromática, pancromática suprasensible al rojo.
　1　フィルム: 赤外線、パンクロマティック、赤敏感パンクロマティック。
　2　*firumu, sekigai-sen, pankuromatikku, aka binkan pankuromatikku.*
Filtros: azul claro; anaranjado; amarillo claro, medio y obscuro; rojo claro y obscuro; verde claro, medio y obscuro; ultravioleta.
　1　フィルター: 水色、オレンジ; 明るい、中間、暗い黄色; 明るい、暗い赤; 明るい、中間、暗い緑; 紫外線。
　2　*Firutâ: mizuiro, orenji; akarui, chûkan, kurai kîro; akarui, kurai aka; akarui, chûkan, kurai midori; sigai-sen.*
El teleobjetivo.
　1　望遠レンズ。
　2　*Bouen renzu.*
El fotómetro.
　1　光度計、露出計。
　2　*Koudo-kei, rosyutsu-kei.*
La filmadora.
　1　録画機。
　2　*Rokuga-ki.*
Las transparencias.
　1　スライド。
　2　*Suraido.*

Fotografía

写真

1. Máquina fotográfica カメラ
2. Objetivo レンズ
3. Visor ファインダー
4. Fotómetro 光度計
5. Rebobinado 巻き戻し
6. Soporte para flash
   フラッシュ
7. Palanca para transporte de
   película フィルムレバー

8. Botón disparador
   シャッター
9. Película フィルム
10. Estuche カバー
11. Objetivo gran angular
    広角レンズ
12. Filtro フィルター
13. Parasol レンズシェード
14. Teleobjetivo 望遠レンズ
15. Trípode 三脚

Haga el favor de darme tres rollos (carretes) de película.

1 フィルムを三本ください。
2 *Firumu wo san-bon kudasai.*

買物　写真

De treinta y cinco milímetros, y pancromática.
1 35ミリ、オールカラーで。
2 *Sanjû-go miri, ôru-karâ de.*

Película en colores.
1 カラーフィルム。
2 *Karâ firumu.*

¿Tiene de la marca...?
1 ...と言うメーカーの製品を扱っていますか？
2 *...To iu mêkâ no seihin wo atsukatte imasuka?*

Pues déme de otra marca que sea buena.
1 他の良いメーカーのものをください。
2 *Hoka no yoi mêkâ no mono wo kudasai.*

Haga el favor de revelar este rollo y sacar una copia de cada fotografía.
1 このフィルムの現像とコピーを一写真一枚ずつお願いします。
2 *Kono firumu no genzou to kopî wo ichi-syasin ichi.mai zutsu onegai simasu.*

Es un film en color.
1 カラーフィルムです。
2 *Karâ firumu desu.*

¿Cuándo estará?
1 いつできますか？
2 *Itsu deki masuka?*

¿No podría hacérmelo más rápido?
1 もう少し早くできませんか？
2 *Mou-sukosi hayaku deki masenka?*

Me interesaría para mañana, porque salimos de viaje.
1 旅行に出るので明日の朝取りに来たいのですが。
2 *Ryokou ni deru node asu no asa torini-kitai no desuga.*

¿Me puede decir el precio de este aparato?
1 このカメラの値段はいくらですか？
2 *Kono kamera no nedan wa ikura desuka?*

¿No lleva telémetro?
1 距離計は付いていないのですか？
2 *Kyori-kei wa tsuite inai no desuka?*

買物　贈答品

¿No tiene instrucciones para el uso del diafragma, velocidad y enfoque?
　1　絞り、露出速度、ピントについての説明書は付いていませんか？
　2　*Sibori, rosyutsu-sokudo, pinto ni tsuite no syoumeisyo wa tsuite imasenka?*
¿Tienen ustedes filtros?
　1　フィルターはありますか？
　2　*Firutâ wa arimasuka?*

Objetos para regalo*

贈答品

Deseo comprar un cesto que sea original.
　1　オリジナルなかごを買いたい。
　2　*Orijinaru na kago wo kaitai.*
¿No tiene alguno con el nombre de esta ciudad?
　1　街の名前が入ったものはありますか？
　2　*Machi no namae ga haitta mono wa arimasuka?*
Entre tanto miraré si encuentro algo que me guste para llevármelo como recuerdo.
　1　待っている間何か記念になるものはないか見てみます。
　2　*Matte iru aida nanika kinen ni narumono wa naika mite-mimasu.*
Esta cartera es de cuero repujado.
　1　この財布は打ち出し細工の皮です。
　2　*Kono saifu wa uchidasi-zaiku no kawa desu.*
Me quedo con ella, pero deseo que pongan mis iniciales.
　1　これに決めますが、私のイニシャルを付けてください。
　2　*Koreni kime-masuga, watasi no inisyaru wo utte kudasai.*

*Véase también p.146, **Joyería-Relojería** y p.168, **La floristería**.

No es esto lo que deseo, sino alguna reproducción en miniatura.
1　私が欲しいのはこれではなく、ミニチュアの複製です。
2　*Watasi ga hosî nowa koredewa naku, minichua no fukusei desu.*

Me conviene comprar cosas de poco peso, para no exceder del que autorizan en el avión.
1　飛行機の重量制限を超えないよう、軽い品物を買わなくてはなりません。
2　*Hikouki no jûryou seiguen wo koenai you, karui sinamono wo kawanakute-wa narimasen.*

La floristería　　　　　　　　　　花屋

La azucena.
1　白百合。
2　*Siroyuri.*
Los cactos.
1　サボテン。
2　*Saboten.*
Las camelias.
1　つばき。
2　*Tsubaki.*

Las campanillas.　1　フウリンソウ。
2　*Fûrin-sou.*
Los claveles.　1　カーネーション。
2　*Kânêsyon.*
Las clavellinas.　1　なでしこ。
2　*Nadesiko.*
Los crisantemos.　1　菊。
2　*Kiku.*
Las dalias.　1　ダリア。
2　*Daria.*

Las flores 花

1. Pasionaria トケイソウ
2. Tulipán チュリップ
3. Camelia カメリア
4. Rosa ばら
5. Lelumbo 蓮
6. Ninfea o nenúfar blanco 睡蓮
7. Gladiolos グラジオラス
8. Fucsia フクシア
9. Datura ダトゥラ
10. Geranio ゼラニウム
11. Nardo カンショウコウ
12. Aro サトイモ
13. Cacto サボテン
14. Azalea 西洋ツツジ
15. Campanillas フウリンソウ
16. Gardenia de Stanley
   クチナシ

Las gardenias.	1	クチナシ。
	2	*Kuchinasi.*
Los geranios.	1	ゼラニウム。
	2	*Zeraniumu.*
Las hortensias.	1	アジサイ。
	2	*Ajisai.*
Los jacintos.	1	ヒヤシンス。
	2	*Hiyasinsu.*

El jazmín.   1 ジャスミン。
　　　　　　　　2 *Jasumin.*
Las lilas.   1 ライラック。
　　　　　　　　2 *Rairakku.*
Los lirios.   1 百合。
　　　　　　　　2 *Yuri.*
Las magnolias. 1 モクレン。
　　　　　　　　2 *Mokuren.*
Las margaritas. 1 マーガレット。
　　　　　　　　2 *Mâgaretto.*
Las mimosas.   1 ミモザ。
　　　　　　　　2 *Momoza.*
Los narcisos.   1 水仙。
　　　　　　　　2 *Suisen.*
Los nardos.   1 甘松香。
　　　　　　　　2 *Kansyou-kou.*
Las orquídeas. 1 蘭。
　　　　　　　　2 *Ran.*
Los pensamientos. 1 パンジー。
　　　　　　　　2 *Panjî.*
Las peonías.   1 牡丹。
　　　　　　　　2 *Botan.*
Las rosas.   1 ばら。
　　　　　　　　2 *Bara.*
Los tulipanes. 1 チューリップ。
　　　　　　　　2 *Chûrippu.*
Las violetas.   1 スミレ。
　　　　　　　　2 *Sumire.*
Las macetas.   1 鉢。
　　　　　　　　2 *Hachi.*

Desearía encargar un ramo.
　1 花束を注文したいと思います。
　2 *Hanataba wo chûmon sitai to omoi masu.*
**Un ramo de claveles blancos, rojos, de varios
colores.**
　1 白い、赤い、色々ないろのカーネーションの花束。
　2 *Siroi, akai, iroiro-na iro no kânêsyon no hanataba.*

El jardín   庭園

1. Seto vivo 生け垣
2. Invernadero 温室
3. Parasol パラソル
4. Muebles de jardín 庭園家具
5. Trampolín 飛び込み台
6. Piscina プール
7. Arriates 花壇
8. Escalera 階段
9. Banco ベンチ
10. Tijeras para podar 園芸鋏
11. Escardillo 鍬
12. Vereda 小道
13. Cortadora de césped 芝刈り機
14. Rastrillo 熊手
15. Azadón 刃の長い鍬
16. Pala シャベル
17. Estanque 池
18. Surtidor 噴水
19. Arriate rocoso 岩花壇

Son para regalar a una señora por su santo.
1 ある婦人に彼女の霊名の祝日を記念して贈る花束です。
2 *Aru fujin ni kanojo no reimei no syuku-jitsu wo kinen site okuru hanataba-desu.*

Hágalo de rosas.
1 ばらで作ってください。
2 *Bara de tsukutte kudasai.*

Hágalo con una selección de las flores más delicadas.
1 繊細な花を選んで作ってください。
2 *Sensai na hana wo erande tsukutte kudasai.*

Tenga mi tarjeta y hágalo llevar a la dirección del sobre.
1 私の名刺を受け取ってください、封筒の宛先へ配達をお願いします。
2 *Watasi no meisi wo uketotte kudasai, fûtou no atesaki e haitatsu wo onegai-simasu.*

Mándelo mañana por la mañana, antes de las doce.
1 明日の午前中、12時前に届けてください。
2 *Asu no gozen-chû jûni-ji mae ni todokete-kudasai.*

No, pasaré mañana yo mismo a buscarlo.
1 いいえ、明日自分で取りに来ます。
2 *Îe, asu jibun de tori ni kimasu.*

¿A qué hora puedo venir?
1 何時に来ましょうか？
2 *Nan-ji ni ki-masyouka?*

¿Qué flores son las más indicadas?
1 どんな花がふさわしいですか？
2 *Don-na hana ga fusawasî desuaka?*

Lo prefiero de gardenias, en forma de ramillete y adornado con tul.
1 チュールで飾った、クチナシのブーケの方がいいですね。
2 *Chûru de kazatta kuchinasi no bûke ga î-desune.*

Hágame un ramillete de violetas, de pensamientos.
1 すみれ、パンジーのブーケを作ってください。
2 *Sumire, panjî no b[uke wo tsukutte kudasai.*

La tienda de comestibles 食料品店

1. Escaparate *棚*
2. Cortadora de fiambres
   薫製切り機
3. y 4. Mostradores *台*
5. Embutidos *薫製*
6. Especias *香辛料*
7. Vinos espumosos
   発泡性ワイン
8. Cacao y chocolate
   カカオとチョコレート
9. y 10. Aceites *油*
11. Licores *リキュール*
12. Conservas de pescado
    魚介缶詰め
13. Conservas de carne
    肉缶詰め

14. Vinos de mesa
    食卓用ワイン
15. Cafés *コーヒー*
16. Quesos *チーズ*
17. Frutos secos *乾燥フルーツ*
18. Pastas para sopa
    スープ用パスタ
19. Conservas de verdura
    野菜缶詰め
20. Registradora *レジ*
21. Dependienta *店員*
22. Balanza *秤*
23. Bolsas *袋*
24. Papel para envolver *包装紙*

¿Cómo se llaman estas flores?
1　この花の名前は何ですか？
2　*Kono hana no namae wa nan-desuka?*

Desearía esa maceta de azucenas.
1　この白百合の組合せをお願いします。
2　*Kono siroyuri no kumi-awase wo onegai-simasu.*

La frutería   果物屋

Los aguacates.	1	アボガド。
	2	*Abogado.*
Los albaricoques.	1	コケモモ。
	2	*Kokemomo.*
Las cerezas.	1	さくらんぼ。
	2	*Sakuranbo.*
Las ciruelas.	1	すもも。
	2	*Sumomo.*
Los cocos.	1	ココナツ。
	2	*Kokonatsu.*
Los dátiles.	1	夏目やしの実。
	2	*Natsume-yasi no mi.*
Las frambuesas.	1	ラズベリー。
	2	*Razuberî.*
Las fresas.	1	いちご。
	2	*Ichigo.*
Las granadas.	1	ざくろ。
	2	*Zakuro.*
Las grosellas.	1	スグリの実。
	2	*Suguri no mi.*
Las guayabas.	1	グアバ。
	2	*Guaba.*
Los higos.	1	イチジク。
	2	*ichiziku.*
Los higos chumbos.	1	ヒラウチワサボテンの実。
	2	*Hira-uchiwa saboten no mi.*

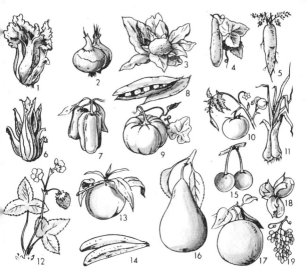

Frutos y vegetales　　　　野菜と果物

1. Acelgas 普段草
2. Cebollas たまねぎ
3. Coliflor カリフラワー
4. Pepino きゅうり
5. Zanahoria にんじん
6. Lechuga レタス
7. Pimientos ピーマン
8. Guisantes グリンピース
9. Calabaza かぼちゃ

10. Tomate トマト
11. Puerros ねぎ
12. Fresa いちご
13. Melocotón 桃
14. Plátanos バナナ
15. Cerezas さくらんぼ
16. Pera 梨
17. Naranja オレンジ
18. Avellanas ヘーゼルナッツ
19. Uvas ぶどう

Los limones.	1	レモン。
	2	*Remon.*
Las mandarinas.	1	みかん。
	2	*Mikan.*
Las manzanas.	1	りんご。
	2	*Ringo.*

Los melocotones.　　1 桃。
　　　　　　　　　　　2 *Momo.*

El melón.　1 メロン。
　　　　　　2 *Meron.*

El membrillo.　1 花梨。
　　　　　　　　2 *Karin.*

Las naranjas.　1 オレンジ。
　　　　　　　　2 *Orenji.*

Los nísperos.　1 びわ。
　　　　　　　　2 *Biwa.*

Las papayas.　1 パパイア。
　　　　　　　　2 *Papaia.*

Las peras.　1 梨。
　　　　　　2 *Nasi.*

Las piñas de América o ananás.
　1 パイナップル。
　2 *Painappuru.*

Los plátanos o bananas.
　1 バナナ。
　2 *Banana.*

Los pomelos.　1 グレープフルーツ。
　　　　　　　　2 *Gurêpu-furûtsu.*

La sandía.　1 すいか。
　　　　　　2 *Suika.*

La uva.　1 ぶどう。
　　　　　　2 *Budou.*

La zarzamora.　1 きいちご。
　　　　　　　　2 *Ki-ichigo.*

Las almendras.　1 アーモンド。
　　　　　　　　2 *Âmondo.*

Las nueces.　1 くるみ。
　　　　　　2 *Kurumi.*

Las avellanas.　1 ヘーゼルナッツ。
　　　　　　　　2 *hêzeru-nattsu.*

Las castañas.　1 栗。
　　　　　　　2 *Kuri.*

Los cacahuetes o maníes.　1 ピーナッツ。
　　　　　　　　　　　　　2 *Pînattsu.*

買物 果物屋

¿Tiene dátiles?
1 夏目やしの実はありますか？
2 *Natsume yasi no mi wa arimasuka?*

¿A cómo los vende?
1 いくらですか？
2 *Ikura desuka?*

Póngame dos kilos.
1 ２キロください。
2 *Ni-kiro kudasai.*

Déme también un kilo de uva.
1 それから、ぶどうを１キロください。
2 *Sorekara budou wo ichi.kiro kudasai.*

Póngame tres kilos de manzanas y dos de naranjas.
1 りんごを３キロ、オレンジを２キロください。
2 *Ringo wo san-kiro, orenji wo ni-kiro kudasai.*

¿Tiene melones de buena clase?
1 高級メロンはありますか？
2 *Koukyû meron wa arimasuka?*

Desearía limones, pero que tengan mucho zumo.
1 レモンを買いたいのですが、果汁の多いものをお願いします。。
2 *Remon wo kaitai no desuga kajû no ôl mono wo onegai simasu.*

Déme plátanos, pero que no sean demasiado maduros.
1 熟れ過ぎていないバナナをください。
2 *Uresuguite inai banana wo kudasai.*

¿Estos nísperos son muy ácidos?
1 このびわは酸っぱいですか？
2 *Kono biwa wa suppai desuka?*

La sandía apetece como refrescante.
1 すいかは涼をとるのによいですね。
2 *Suika wa ryou wo toru noni yoi desune.*

¿Cómo se llama esta fruta?
1 この果物は何ですか？
2 *Kono kudamono wa nan-desuka?*

買物　たばこ

Son mandarinas. Una especie de naranjas pequeñas de cáscara fácil de separar.
1　みかんです。剥きやすい皮の小さなオレンジの一種です。
2　*Mikan desu. Mukiyasui kawa no chîsana orenji no issyu desu.*

¿No tienen melocotones?
1　桃はありますか？
2　*Momo wa arimasuka?*

Déme dos piñas americanas.
1　アメリカパイナップルを２つください。
2　*Amerika painappuru wo futatsu kudasai.*

Se lo pago ahora.
1　今払います。
2　*Ima harai masu.*

El tabaco   たばこ

El paquete de cigarrillos.
1　たばこ一箱。
2　*Tabako hito-hako.*

Con filtro, sin filtro. 1　フィルター付き、フィルター無し。
　　　　　　　　　　　　 2　*Firutâ tsuki, firutâ-nasi.*

La caja de puros.　　1　葉巻の箱。
　　　　　　　　　　　 2　*Hamaki no hako.*

El cenicero.　　1　灰皿。
　　　　　　　　 2　*Haizara.*

El encendedor, el mechero.　1　ライター。
　　　　　　　　　　　　　　 2　*Raitâ.*

La pipa.　1　パイプ。
　　　　　 2　*Paipu.*

La pitillera.　1　たばこケース。
　　　　　　　 2　*Tabako kêsu.*

Déme un paquete de cigarrillos de tabaco rubio, negro.
1　黄色い(軽い)、黒い(きつい)たばこを一箱ください。
2　*Kîroi (karui), kuroi (kitsui) tabako wo hito-hako kudasai.*

買物　銀行

Haga el favor de venderme una caja de cigarros.
1 たばこを一箱ください。
2 *Tabako wo hio-hako kudasai.*

Que sea grande, pequeño.
1 大箱、小箱でお願いします。
2 *Óbako, kobako de onegai simasu.*

¿Me puede enseñar un surtido de pipas?
1 パイプを色々見せていただけますか？
2 *Paipu wo iroiro misete itadake masuka?*

Quisiera una escobilla para limpiar la pipa.
1 パイプを掃除するブラシを買いたい。
2 *Paipu wo souji suru burasi wo kaitai.*

¿Tiene boquillas para cigarrillos o para cigarros?
1 紙巻たばこ用、葉巻たばこ用のフィルターチップはありますか？
2 *Kamimaki-tabako you, hamaki-tabako you no firutâ chippu ha arimasuka?*

Desearía una petaca, una pitillera.
1 たばこ入れを買いたいと思います。
2 *Tabako-ire wo kaitai to omoi-masu.*

Enséñeme los encendedores, los ceniceros de recuerdo.
1 記念のライター、灰皿を見せてください。
2 *Kinen no raitâ, haizara wo misete kudasai.*

El banco.　　　　　　　　　　　　銀行

La casa de cambio　　　　　　　両替所

La puerta.
1 ドアー。
2 *Doâ.*
El portero.
1 守衛。
2 *Syuei.*

El tablero de cotizaciones de moneda.
1 両替レート表。
2 *Ryou-gae rêto hyou.*

Las ventanillas.   1 窓口。
2 *Mado-guchi.*

El empleado.   1 銀行員。
2 *Guinkou-in.*

El cajero.   1 現金出納係。
2 *Guenkin suitou gakari.*

Los billetes de banco.
1 お札。
2 *Osatsu.*

La moneda fraccionaria.
1 小銭。
2 *Kozeni.*

Cheque de viaje.
1 トラベラーズチェック。
2 *Toraberâzu chekku.*

Pagar.   1 支払い。
2 *Si-harai.*

Cobrar.   1 受け取り。
2 *Uketori.*

La carta de crédito.   1 クレジットカード。
2 *Kurejitto kâdo.*

La cuenta corriente.   1 当座預金。
2 *Touza-yokin.*

El pago.   1 支出。
2 *Si-syutsu.*

El depósito.   1 預金。
2 *Yokin.*

Oiga, ordenanza, ¿para cambiar moneda?
1 すみません、両替はどこですか？
2 *Sumimasen, ryou-gae wa doko desuka?*

Haga el favor de cambiarme este cheque de viaje.
1 このトラベラーズチェックを替えてください。
2 *Kono toraberâzu-chekku wo kaete kudasai.*

買物　銀行

¿Habré de esperar mucho?
1　大分待つ必要がありますか？
2　*Daibun matsu hitsuyou ga arimasuka?*

Deseo cambiar parte de este cheque de viaje. ¿Puede darme la diferencia en moneda de mi país?
1　このトラベラーズチェックの一部を両替をしたいのですが、差額を私の国の通貨でもらえますか？
2　*Kono toraberâzu-chekku no ichibu wo ryou-gae sitai no desuga, sagaku wo watasi no kuni no tsûka de morae-masuka?*

¿Puede cambiarme estos billetes en moneda del país?
1　このお札をこの国の小銭に替えてもらえますか？
2　*Kono osatsu wo kono kuni no kozeni ni kaete morae-masuka?*

¿A cuánto está el cambio?
1　両替レートはいくらですか？
2　*Ryou-gae rêto wa ikura desuka?*

¿Qué cambio me ha cotizado?
1　適用された両替レートはいくらですか？
2　*Tekiyou sareta Ryou-gae rêto wa ikura desuka?*

Haga el favor de entregarme billetes grandes, pequeños.
1　大きな、小さなお札でお願いします。
2　*Ôkina osatsu, chîsana osatsu de onegai simasu.*

¿Podrá indicarme si se ha recibido una transferencia de... a nombre de...?
1　...の名前で送金が届いたか教えていただけますか？
2　*...No namae de soukin ga todoita ka osiete itadake masuka?*

Por 3.000... y del Banco de...
1　...銀行からの3000...です。
2　*...Guinkou kara no san-zen ...desu.*

Aquí tiene mi pasaporte, mi carné de identidad.
1 これが私のパスポート、身分証明書です。
2 *Korega watasi no pasupôto, mibun syoumei-syo desu.*

La salud*

健康

La salud.	1	健康。
	2	*Kenkou.*
La cabeza.	1	頭。
	2	*Atama.*
El estómago.	1	胃。
	2	*I.*
El corazón.	1	心臓。
	2	*Sin-zou.*
El hígado.	1	肝臓。
	2	*Kan-zou.*
Dolor de cabeza.	1	頭痛。
	2	*Zutsû.*
Dolor de estómago.	1	胃痛。
	2	*Itsû.*

Ataque al corazón.
1 心臓発作。
2 *Sinzou-hossa.*

---

* Véase también p.193, **Los deportes.**

健康 医者

En el médico 医者で

Medicina general
一般医

En el médico. 　1 医者で。
　　　　　　　　2 *Isya de.*
El hospital. 　1 病院。
　　　　　　　2 *Byou-in.*
La enfermera. 　1 看護婦。
　　　　　　　2 *Kango-fu.*
Dolor de garganta. 　1 のどの痛み。
　　　　　　　　　　2 *Nodo no itami.*
Dolor de estómago. 　1 胃痛。
　　　　　　　　　　2 *Itsû.*
Dolor de oídos. 　1 耳の痛み。
　　　　　　　　2 *Mimi no itami.*
Dolor de hígado. 　1 肝臓痛。
　　　　　　　　　2 *Kanzou-tsû.*
Me he levantado con dolor de cabeza.
　1 今朝から頭痛がします。
　2 *Kesa kara zutsû ga simasu.*
Quiero ver a un doctor.
　1 医者にかかりたい。
　2 *Isya ni kakari-tai.*
Tengo fiebre.
　1 熱があります。
　2 *Netsu ga arimasu.*
Tengo una indigestión.
　1 消化不良を起こしました。
　2 *Syouka-furyou wo okosi masita.*
Me`duele el brazo izquierdo.
　1 左腕が痛い。
　2 *Hidari-ude ga itai.*

El cuerpo humano

人体

1. Cabeza 頭
2. Cuello 首
3. Pecho 胸
4. Epigastrio みぞおち
5. Vientre 腹
6. Codo 肘
7. Pierna 足
8. Hombro 肩
9. Brazo 腕
10. Antebrazo 前腕
11. Mano 手
12. Dedos 指
13. Muñeca 手首
14. Muslo もも
15. Rodilla 膝
16. Pantorrilla ふくらはぎ
17. Pie 足
18. Tobillo 足首
19. Cráneo 頭蓋骨
20. Vértebras cervicales 頸椎
21. Columna vertebral 背骨
22. Clavícula 鎖骨
23. Húmero 上腕骨
24. Cúbito 尺骨
25. Radio とう骨
26. Costillas 肋骨
27. Esternón 胸骨
28. Escápula 肩甲骨
29. Carpo 手首の骨
30. Metacarpo 中手骨
31. Falanges 指骨
32. Ilíaco 腸骨
33. Sacro 仙骨

34. Cóccix 尾骨
35. Isquion 座骨
36. Fémur 大だい骨
37. Tibia 頸骨
38. Peroné 腓骨
39. Cuboides 尺骨
40. Calcáneo 踵骨
41. Metatarsia 中足骨
42. Falanges 指骨
43. Rótula 膝蓋骨
44. Cuerpo tiroideo 甲状腺
45. Vena y ugular interna 頸静脈
46. Carótida (arteria) 頸動脈
47. Subclavia (arteria)
    鎖骨下動脈
48. Vena cava superior 大静脈
49. Cayado de la aorta 大動脈弓
50. Pulmón 肺
51. Diafragma 横隔膜
52. Arteria bronquial izquierda
    左気管支動脈
53. Corazón 心臓
54. Estómago (seccionado)
    胃（断面図）
55. Bazo, 脾臓
56. Hígado 肝臓
57. Vesícula biliar 胆嚢
58. Riñón derecho 右腎臓
59. Páncreas 膵臓
60. Riñón izquierdo 左腎臓
61. Duodeno 十二指腸
62. Ombligo へそ

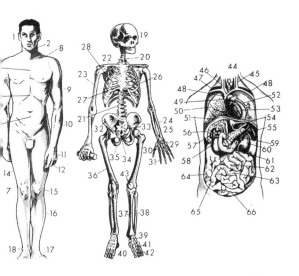

63. Colon descendente 大腸
64. Colon ascendente 小腸
65. Apéndice vermiforme 虫垂
66. Vejiga urinaria 膀胱

Me duele el pie derecho.
  1 右足が痛い。
  2 *Migui-asi ga itai.*

Por las noches no puedo dormir.
  1 夜眠れない。
  2 *Yoru nemurenai.*

Siento un dolor aquí.
  1 ここに痛みを感じる。
  2 *Koko ni itami wo kanjiru.*

Tengo diarreas.
  1 下痢をしています。
  2 *Gueri wo site imasu.*

Siento ardor en el estómago.
   1　胸やけがする。
   2　*Muneyake ga suru.*
Toso mucho.　　1　咳がひどい。
　　　　　　　　　2　*Seki ga hidoi.*
Estoy muy resfriado.
   1　強い風邪をひきました。
   2　*Tsuyoi kaze wo hikimasita.*
No tengo apetito.
   1　食欲が無い。
   2　*Syoku-yoku ga nai.*
Necesito un calmante, un laxante.
   1　鎮痛剤、下剤が必要です。
   2　*Chintsû-zai, guezai ga hitsuyou desu.*
¿Cuántas veces debo tomar la medicina?
   1　薬は何度飲む必要がありますか？
   2　*Kusuri wa nando nomu hitsuyou ga arimasuka?*
¿Antes o después de las comidas?
   1　食前ですか、食後ですか？
   2　*Syoku-zen desuka, syoku-go desuka?*
¿Me puede tomar la presión de la sangre?
   1　血圧を測っていただけますか？
   2　*Ketsu-atsu wo hakatte itadake masuka?*

El dentista

歯医者

En el dentista.　　1　歯医者で。
　　　　　　　　　　2　*Hai-sya de.*
La boca.　1　口。
　　　　　　2　*Kuchi.*
Las encías.　1　歯茎。
　　　　　　　2　*Haguki.*
La dentadura.　1　入れ歯。
　　　　　　　　2　*Ire-ba.*

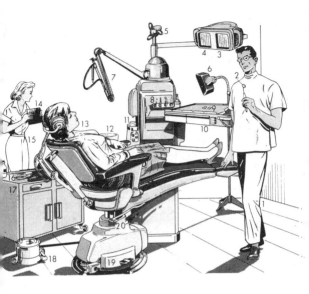

El dentista

歯医者

1. Médico 歯科医
2. Faringoscopio 口内鏡
3. Rayos X X線
4. Luz direccional ライト
5. Ventilador 換気扇
6. Lámpara para irradiaciones
   照射ライト
7. Torno コンセント
8. Jeringas 注射器
9. Tacos de algodón hidrófilo
   脱脂綿
10. Mesita para accesorios
    補助机
11. Vaso de agua 水コップ

12. Escupidera 痰壷
13. Paciente 患者
14. Radiografía レントゲン写真
15. Enfermera 看護婦
16. Alicates para extracciones
    ペンチ
17. Jeringa para anestesia
    麻酔用注射器
18. Puesta en marcha del torno,
    電気スイッチ
19. Pedal para elevar el sillón
    椅子高度調節ヘダル
20. Palanca para su graduación
    椅子角度高度調節レバー

Los dientes.　1 歯。
　　　　　　　　2 *Ha.*
Los colmillos.　1 犬歯。
　　　　　　　　　2 *Ken-si.*
Las muelas.　1 奥歯。
　　　　　　　　2 *Oku-ba.*
La raíz.　1 歯根。
　　　　　　2 *Si-kon.*
El flemón.　1 蜂巣炎。
　　　　　　　2 *Housou-en.*
Me duele este diente.
　1 この歯が痛い。
　2 *Kono ha ga itai.*
Me duelen las muelas.
　1 奥歯が痛い。
　2 *Oku-ba ga itai.*
Creo que esta muela está picada.
　1 この奥歯に虫歯があると思います。
　2 *Kono okuba ni musi-ba ga aruto omoi-masu.*
¿Cree usted que habría que sacar esta muela?
　1 この奥歯を抜く必要があると思いますか？
　2 *Kono okuba wo nuku hitsuyou ga aruto omoi-masuka?*
Prefiero aguardar.
　1 できれば残したい。
　2 *Dekireba nokosi-tai.*
Puedo aguardar hasta...
　1 …まで残せます。
　2 *...Made nokose masu.*
¿Me la pueden empastar?
　1 詰めてもらえますか？
　2 *Tsumete morae-masuka?*
Se me ha roto la dentadura postiza.
　1 入れ歯がこわれました。
　2 *Ireba ga koware masita.*
¿Me la pueden arreglar?
　1 直していただけますか？
　2 *Naosite itadake masuka?*

健康　眼鏡店

¿Cuándo podré pasar a recogerla?
1 いつ取りにこれますか？
2 *Itsu tori ni kure-masuka?*

El óptico
眼鏡店
_____

El óptico.	1 眼鏡店。
	2 *Megane-ten.*
Las lentillas.	1 コンタクトレンズ。
	2 *Kontakuto-renzu.*
Las gafas, los lentes.	1 眼鏡、レンズ。
	2 *Megane, renzu.*
Las gafas de sol.	1 サングラス。
	2 *San-gurasu.*
Las gafas bifocales.	1 遠近両用眼鏡。
	2 *Enkin-ryouyou megane.*
Los gemelos, los prismáticos.	1 双眼鏡。
	2 *Sougan-kyou.*
El estuche, la funda.	1 ケース。
	2 *Kêsu.*
La brújula.	1 コンパス。
	2 *Kon-pasu.*
El ojo derecho, izquierdo.	1 右眼、左眼。
	2 *Migui-me, hidari-me.*
Cristal claro, obscuro.	1 ライトガラス、ダークガラス。
	2 *Raito-garasu, dâku-garasu.*
Metálicas.	1 金属。
	2 *Kin-zoku.*

¿Me puede mirar la vista?
1 視力を見ていただけますか？
2 *Siryoku wo mite itadake masuka?*

Tengo la vista cansada.
1 眼が疲れる。
2 *Me ga tsukareru.*

No tengo la receta del oculista.
1　眼科の処方箋を持っていません。
2　*Gan-ka no syohou-sen wo motte imasen.*

Aquí tiene la receta.　1　これが処方箋です。
2　*Kore ga syohou-sen desu.*

Quisiera comprar unas gafas.
1　眼鏡を買いたいと思います。
2　*Megane wo kaitai to omoi masu.*

Quisiera que me arreglen las gafas.
1　眼鏡を修繕していただきたいのですが。
2　*Megane wo syûzen site itadakitai no-desuga.*

¿Me puede poner un cristal nuevo?
1　レンズを新しくしていただけますか？
2　*Renzu wo atara-siku site itadake masuka?*

Desearía un cristal más obscuro.
1　もう少し暗いレンズが良いのですが。
2　*Mou-sukosi kurai renzu ga yoi nodesuga.*

¿Me puede arreglar esta varilla?
1　このつるを修理していただけますか？
2　*Kono tsuru wo syûri site itadake masuka?*

¿Cuándo puedo pasar a recogerlas?
1　いつ取りにこれますか？
2　*Itsu tori ni kore-masuka?*

La farmacia　　　　　　　　　薬局

En la farmacia.　1　薬局で。
2　*Yakkyoku de.*

Farmacia de guardia.　1　当番薬局。
2　*Touban yakkyoku.*

Farmacéutico.
1　薬剤師。
2　*Yakuzai-si.*

Receta.
1　処方箋。
2　*Syohou-sen.*

健康　薬局

El comprimido. 1 錠剤。
2 *Jou-zai.*

El jarabe. 1 シロップ。
2 *Siroppu.*

El linimento. 1 塗布剤。
2 *Tofu-zai.*

La pomada. 1 軟膏。
2 *Nan-kou.*

El laxante. 1 下剤。
2 *Guezai.*

El supositorio. 1 座薬。
2 *Zayaku.*

La inyección. 1 注射。
2 *Chûsya.*

El calmante. 1 鎮痛剤。
2 *Chintsû-zai.*

El antiséptico. 1 消毒薬。
2 *Syoudoku-yaku.*

El desinfectante. 1 殺菌剤。
2 *Sakkin-zai.*

El esparadrapo. 1 ばんそう膏。
2 *Bansou-kô.*

El sedante. 1 鎮静剤。
2 *Chinsei-zai.*

La venda. 1 包帯。
2 *Houtai.*

El algodón. 1 綿。
2 *Men.*

La gasa. 1 ガーゼ。
2 *Gâze.*

El termómetro. 1 体温計。
2 *Taion-kei.*

El insecticida.
1 殺虫剤。
2 *Sacchû-zai.*

El cepillo de dientes.
1 歯ブラシ。
2 *Ha-burasi.*

La píldora.
1 錠剤。
2 *Jouzai.*

Los pañuelos de papel.
1 ティッシュ。
2 *Tissyu.*

El laboratorio.
1 試験室。
2 *Siken-sitsu.*

El análisis.
1 検査。
2 *Kensa.*

Uso externo, interno.
1 外用薬、内用薬。
2 *Gaiyou-yaku, naiyou-yaku.*

Tengo una receta.
1 処方箋を持っています。
2 *Syohou-sen wo motte imasu.*

Quisiera...unas pastillas de vitaminas.
1 ビタミン剤をください。
2 *Bitamin-zai wo kudasai.*

¿Puede darme algo para... el resfriado, la fiebre, el dolor de cabeza, la colitis?
1 風邪、熱、頭痛、下痢の薬をください。
2 *Kaze, netsu, zutsû, gueri no kusuri wo kudasai.*

¿Me pueden poner una inyección?
1 注射をうっていただけますか？
2 *Chûsya wo utte itadake masuka?*

¿Van bien estas pastillas para...?
1 この薬は...に効きますか？
2 *Kono kusuri wa ...ni kiki-masuka?*

¿Le pueden poner la inyección del tétanos?
1 破傷風止めの注射をうっていただけますか？
2 *Hasyou-fû dome no chûsya wo utte itadake-masuka?*

Cada seis, ocho, doce horas.
1 6時間、8時間、12時間毎に。
2 *Roku-jikan, hachi-jikan, jûni-jikan goto-ni.*

健康　スポーツ

Los deportes   スポーツ

El ajedrez.
 1 チェス。
 2 *Chesu.*

El atletismo.
 1 陸上競技。
 2 *Rikujou-kyougui.*

El automovilismo
 1 カースポーツ。
 2 *Kâ-supôtsu.*

El baloncesto.
 1 バスケットボール。
 2 *Basuketto-bôru.*

El balonmano.   1 ハンドボール。
                   2 *Hando-bôru.*

El balonvolea.   1 バレーボール。
                   2 *Barê-bôru.*

El alpinismo.   1 登山。
                   2 *Tozan.*

El billar.   1 ビリヤード。
                2 *Biri-yâdo.*

El boxeo.   1 ボクシング。
               2 *Bokusingu.*

El ciclismo.   1 サイクリング。
                  2 *Saikuringu.*

El esquí.   1 スキー。
               2 *Sukî.*

El esquí acuático.   1 水上スキー。
                        2 *Suijou-sokî.*

El surf a vela.   1 ウィンドサーフ。
                     2 *Uindo-sâfu.*

El judo.   1 柔道。
              2 *jûdou.*

El motocross.   1 モータークロス。
                   2 *Môtâ-kurosu.*

Los deportes

スポーツ

1. Piscina プール
2. Duchas シャワー
3. Solarium サンデッキ
4. Casetas 脱衣所
5. Vestuarios 更衣室
6. Tobogán すべり台
7. Escalerilla はしご
8. Límite para no nadadores
   非泳泳者境界線
9. Palanca de saltos
   飛び込み台
10. Trampolín 踏み切り台
11. Natación (estilo crol)
    水泳（クロール）
12. Pelota vasca (cesta punta)
    ハイアライ（バスク地方の
    ラケット競技）
13. Pelota ボール
14. Cesta ラケット
15. Atletismo (lanzamiento de
    martillo)
    陸上競技（ハンマー投げ）

16. Martillo ハンマー
17. Atletismo (salto con pértiga)
    陸上競技（棒高跳び）
18. Pértiga 棒
19. Travesaño ゴールバー
20. Soporte 支柱
21. Ciclismo 競輪
22. Náutica (balandro de carre-
    ras)ヨット一本マスト短艇
23. Judo 柔道
24. Boxeo ボクシング
25. Automóvil de carreras
    カーレース
26. Deporte de nieve
    スノースポーツ
A. Fútbol サッカー
1. Campo フィールド
2. Círculo central
   センターサークル
3. Area de penalty
   ペナルティーエリア

4. Area de meta ゴールエリア
5. Portería ゴール
6. Banderines de córner
コーナー旗
7. Fosos 砂場
8. Entrada de jugadores
選手入場口
9. Tribuna 観覧席
10. Visera 日除け
11. Vestuario ロッカー
12. Sala de prensa 報道席
13. Duchas シャワー
14. Piscina プール
15. Enfermería 看護部
16. Controles de entrada
入場チェック
17. Taquillas 切符売り場
18. Jugador 選手
19. Camiseta シャツ
20. Escudo del club
チームマーク
21. Pantalón パンツ
22. Balón ボール
23. Bota サッカーシューズ

B. Rugby ラグビー
24. Balón ラグビーボール
25. Puerta ゴール
C. Baloncesto
バスケットボール
26. Campo de juego
フィールド
27. Area de tiro libre
フリーシュートゾーン
28. Cesta バスケット
29. Tablero ボード
D. Tenis テニス
30. Pista de juego コート
31. Red central ネット
32. Silla del juez árbitro 審判席
33. Raqueta ラケット
34. Pelota ボール
E. Hockey sobre hielo
アイスホッケー
35. Jugador 選手
36. Stick スティック
37. Bota con patines
スケートブーツ
38. Disco 円盤

Motocicleta - Scooter - Bicicleta
モーターバイク-スクーター-自転車

A. Motocicleta モーターバイク

1. Depósito de combustible
   燃料タンク
2. Tapón del depósito
   タンクキャップ
3. Sillín サドル
4. Correa de sujeción ベルト
5. Manillar ハンドル
6. Pulsador de claxon y cambio
   de luces
   クラクション、ライトボタン
7. Cuentakilómetros 距離計
8. Interruptor スイッチ
9. Faro ヘッドライト
10. Horquilla フォーク
11. Placa matrícula
    ナンバープレート
12. Rueda delantera 前輪
13. Tambor del freno
    ドラムブレーキ
14. Radios スポーク
15. Guardabarros 泥よけ
16. Tubo de escape
    排気チューブ
17. Cuadro フレーム
18. Motor エンジン
19. Bujía 点火プラグ
20. Carburador キャブレター
21. Pedal de puesta en marcha
    発車ペダル
22. Palanca de cambio de
    marchas 変速レバー
23. Estribo para el conductor
    ステップ
24. Caballete クレードル
25. Estribo para el pasajer
    ステップ

26. C árter de la cedna de
    transición チェーンガード
27. Caja de herramientas 道具箱
28. Amortiguadores クッション
29. Piloto パイロットランプ
30. Placa de matrícula
    ナンバープレート
31. Silenciador del tubo de
    escape エンジンマフラー
32. Llanta 輪金
B. Motocicleta de carreras
   競技用オートバイ
C. Moto scooter スクーター
D. Bicicleta 自転車
33. Manillar ハンドル
34. Timbre ベル
35. Faro ライト
36. Guardabarros 泥よけ
37. Freno ブレーキ
38. Dínamo ダイナモ
39. Palanca del cambio de
    marchas 変速レバー
40. Cuadro フレーム
41. Guardacadena
    チェーンボックス
42. Plato プレート
43. Pedal ペダル
44. Cadena チェーン
45. Bomba ポンプ
46. Sillín サドル
47. Bolsa de herramientas
    道具袋
48. Portaequipajes 荷物棚
49. Freno ブレーキ
50. Piloto バックライト

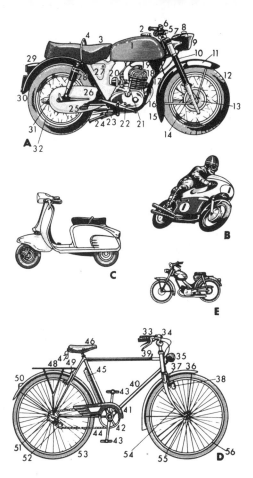

51. Piñón pequeño 小ピニオン
52. Tensor de cadena
     チェーン張り機
53. Neumático タイヤ

54. Horquilla フォーク
55. Palomilla ブラケット
56. Llanta 輪金
E. Ciclomotor モーターバイク

El fútbol.　1 サッカー。
　　　　　　　2 *Sakkâ.*
La gimnasia.　1 体操。
　　　　　　　2 *Taisou.*
El golf.　1 ゴルフ。
　　　　　　2 *Gorufu.*
La hípica.　1 乗馬。
　　　　　　2 *Jou-ba.*
El hockey sobre patines.　1 スケートホッケー。
　　　　　　　　　　　　2 *Sukêto-hokkê.*
El hockey sobre hierba.　1 芝ホッケー。
　　　　　　　　　　　2 *Siba-hokkê.*
El hockey sobre hielo.　1 アイスホッケー。
　　　　　　　　　　2 *Aisu-hokkê.*
La lucha libre.
　1 レスリング。
　2 *Resuringu.*
El motorismo.　1 モーターレース。
　　　　　　　2 *Môtâ-rêsu.*
La natación.　1 水泳。
　　　　　　　2 *Sui-ei.*
El patinaje.　1 スケート。
　　　　　　2 *Sukêto.*
La pesca.　1 釣り。
　　　　　2 *Tsuri.*
El remo.　1 オール。
　　　　　2 *Ôru.*
El rugby.　1 ラグビー。
　　　　　2 *raguî.*
El tenis.　1 テニス。
　　　　　2 *Tenisu.*
El árbitro.　1 審判。
　　　　　2 *Sin-pan.*
El masajista.　1 マッサージ師。
　　　　　　　2 *Massâji-si.*
El entrenador.　1 監督。
　　　　　　　2 *Kantoku.*

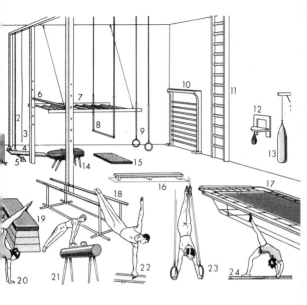

El gimnasio

体操

1. Saltómetro 高飛び
2. Barra de trepar のぼり棒
3. Cuerda lisa 綱
4. Trampolín 跳躍台
5. Soporte del trampolín
   踏み切り台
6. Barra fija 水平棒
7. Escalera horizontal
   水平はしご
8. Trapecio 空中ブランコ
9. Anillas 吊り輪
10. Escalera sueca 壁ばしご
11. Escalera vertical はしご
12. Punching-ball
    パンチングボール
13. Saco de arena サンドバッグ

14. Potro 跳馬
15. Colchón de goma
    ゴムマット
16. Potro sueco de equilibrios
    スゥエーデン式平均台
17. Cama elástica トランポリン
18. Paralelas 平行棒
19. Plinto 鞍馬
    Gimnasia femenina 女子体操
20. Ejercicios en el suelo 床体操
21. Ejercicios en el potro 鞍馬
22. Ejercicios en las paralelas
    平行棒
23. Ejercicios en las anillas 吊り輪
24. Barra de equilibrios 平均台
    Gimnasia masculina 男子体操

El estadio.
1 競技場。
2 *Kyougui-jou.*
El velódromo.
1 競輪場。
2 *Keirin-jou.*
Las pistas.
1 トラック。
2 *Torakku.*
¿Hay hoy algún partido de fútbol, baloncesto, rugby, etcétera?
1 今日サッカー、バスケットボール、ラグビー、等の試合はありますか?
2 *Kyou sakkâ, basuketto-bôru, ragubî, nado no siai wa arimasuka?*
¿A qué hora empieza el encuentro?
1 試合は何時に始まりますか?
2 *Siai wa nan-ji ni hajimari masuka?*
¿Dónde está el campo de juego?
1 競技場はどこですか?
2 *Kyougui-jou wa doko desuka?*
Hay fútbol profesional y de aficionados.
1 プロ、アマチュアのサッカーがあります。
2 *Puro, amachua no sakkâ ga arimasu.*
¿Se celebra hoy boxeo, lucha libre?
1 今日ボクシング、レスリングの試合はありますか?
2 *Kyou bokusingu, resuringu no siai wa arimasuka?*
¿No hay competición de natación?
1 競泳はないのですか?
2 *Kyopu-ei wa nai no desuka?*
Yo prefiero asistir a los encuentros de rugby.
1 ラグビーの試合を観戦する方がいいですね。
2 *Ragubî no siai wo kan-sen suru hou ga î-desune.*

健康　スポーツ

Los encuentros internacionales de atletismo también me gustan.

1 国際陸上大会も好きです。

2 *Kokusai rukujou taikai mo sukidesu.*

Carreras de fondo, obstáculos, relevos, saltos con trampolín.

1 長距離走、障害、リレー、トランポリンジャンプ。

2 *Choukyori-sou, syougai, rirê, toranporin-janpu.*

Mi hermano corre los 200 metros vallas y practica el lanzamiento de peso.

1 私の兄、弟は200m障害を走り、重量投げもします。

2 *Watasi no ani, otouto wa syougai wo hasiri, jûryou nague mo simasu.*

Sé que mañana hay carreras de motos, de automóviles. ¿Podría decirme dónde se celebran?

1 明日モーターレース、カーレースがあると聞きました。どこで開催されるか教えていただけますか？

2 *Asu, môtâ-rêsu, kâ-rêsu ga aruto kiki-masita. Doko de kaisai sareru-ka osiete itadake masuka?*

La playa,
el camping*

海岸
キャンピング

La playa, la piscina

海岸　プール

El hotel, el casino.	1 ホテル、カジノ。
	2 *Hoteru, kajino.*
La silla de playa.	1 ビーチチェア。
	2 *Bîchi-chea.*
La sombrilla.	1 パラソル。
	2 *Parasoru.*
La arena.	1 砂。
	2 *Suna.*
El mar.	1 海。
	2 *Umi.*
Las olas, el oléaje.	1 波。
	2 *Nami.*
El pescador.	1 漁師。
	2 *Ryou-si.*
La barca.	1 小船。
	2 *Ko-bune.*
El patín.	1 カタマランヨット。
	2 *Katamaran-yotto.*
Las cuerdas.	1 綱。
	2 *Tsuna.*
El traje de baño.	1 水着。
	2 *Nizu-gui.*
Los bañistas.	1 海水浴者。
	2 *Kaisui-yoku sya.*

*Véase también p. 215, **Estado del tiempo.**

海岸　キャンピング

La piscina.　　　1 プール。
　　　　　　　　　　2 *Pûru.*
La palanca, el trampolín.　1 飛び込み台。
　　　　　　　　　　　　　　　2 *Tobikomi-dai.*
El albornoz.　　　1 バスローブ。
　　　　　　　　　　2 *Basu-rôbu.*
¿Para alquilar un patín, una barca?
　1 小船、カタマランヨットを借りるにはどうすれば良いのですか？
　2 *Ko-bune, katamaran-yotto wo kariru niwa dousitara yoi nodesuka?*
¿Dónde podremos ducharnos?
　1 どこでシャワーできますか？
　2 *Dokode syawâ deki-masuka?*
Las duchas están situadas en la salida de la playa.
　1 シャワーは砂浜からの出口にあります。
　2 *Sywâ wa sunahama karano deguchi ni arimasu.*
¿Hay frontón?
　1 コートはありますか？
　2 *Kôto wa ari masuka?*
El mar está picado.　1 海は荒れています。
　　　　　　　　　　　2 *Umi wa arete imasu.*
Hay mar de fondo.
　1 海底にうねりがあります。
　2 *Umizoko ni uneri ga arimasu.*
Es peligroso bañarse hoy.
　1 今日は海に入るのは危険です。
　2 *Kyou wa umi ni hairu nowa kiken desu.*
El agua está sucia, contaminada.
　1 水は汚れています、汚染されています。
　2 *Mizu wa yogoreteimasu, osen sarete imasu.*
¿Está muy lejos la estación de ferrocarril?
　1 鉄道の駅から大分離れていますか？
　2 *Tetsudou no eki kara daibu hanarete imasuka?*
¿A qué hora pasa el último tren para...?
　1 ...行きの最終電車は何時に出ますか？
　2 *...Iki no saisyû-densya wa nan-ji ni de-masuka?*

El camping   キャンプ場

Información. 1 インフォメーション、案内所。
2 *Infomêsyon, an-nai jo.*

Campista. 1 キャンパー。
2 *Kyampâ.*

Terreno de camping. 1 キャンプ場。
2 *Kyanpu-jou.*

La tienda de lona. 1 カンバス地のテント。
2 *Kanbasu-ji no tento.*

El remolque. 1 キャンピングカー。
2 *Kyan-pingu kâ.*

La mesa. 1 机。
2 *Tsukue.*

Las sillas. 1 椅子。
2 *Isu.*

La linterna, la lámpara. 1 懐中電灯、ランプ。
2 *Kaichû-dentou, ranpu.*

Los lavabos. 1 手洗い。
2 *Te-arai.*

La manta. 1 毛布。
2 *Mou-fu.*

El saco de dormir. 1 寝袋、シュラフ。
2 *Ne-bukuro, syurafu.*

El colchón neumático. 1 ゴムマットレス。
2 *Gomu mattoresu.*

La cama plegable.
1 折り畳みベッド。
2 *Ori-tatami beddo.*

La estera. 1 ござ。
2 *Goza.*

El martillo. 1 鎚。
2 *Tsuchi.*

¿Hay algún camping cerca de aquí?
1 この近くにキャンプ場はありますか?
2 *Kono chikaku ni kyanpu-jou wa arimasuka?*

El camping

キャンプ

1. Remolque
   キャンピングカー
2. Tienda de campaña テント
3. Estaquilla 杭
4. Tensor 張り器
5. Cuerda de tensión 張り綱
6. Mástil de la tienda テント柱
7. Almohada 枕
8. Mantas 毛布
9. Taburete plegable
   折り畳み椅子
10. Mesa plegable
    折り畳みテーブル
11. Vaso コップ
12. Termo 魔法瓶
13. Fiambrera タッパーウェア
14. Abrelatas 缶切り

15. Navaja con sacacorchos
    コルク抜き付きナイフ
16. Cubiertos テーブルウェア
17. Botiquín 救急箱
18. Mantel テーブルカバー
19. Servilletas ナプキン
20. Botella de plástico
    プラスチックボトル
21. Tumbona plegable
    折り畳みデッキチェア
22. Puchero 鍋
23. Bombona de gas butano
    ブタンガスボンベ
24. Hornillo portátil 携帯コンロ
25. Cesta de vajilla y cubiertos
    食器かご
26. Silla plegable 折り畳み椅子

Socorrismo

救助活動

1. Salvamento de un ahogado
   水難射救助
2. Socorrista 救助人
3. Ahogado 水難者
4. Apósito adhesivo para
   heridas バンドエイド
5. Algodón hidrófilo ガーゼ
6. Esparadrapo
   サージカルテープ
7. Respiración artificial, sistema
   Silvester
   シルヴェスター式人工呼吸
8. En caso de incendio
   火事の場合
9. Entablillado de una pierna rota
   骨折した足のギブス

10. Respiración artificial, método
    de boca a boca
    人工呼吸マウスツーマウス
11. Vendaje de un dedo 指包帯
12. Vendaje de un brazo 腕包帯
13. Torniquete para detener una
    hemorragia 止血帯
14. A un accidentado por rotura
    de hielo
    氷破損による事故者救助
15. Cuerda 綱
16. Accidentado 事故者
17. Escalera はしご
18. Socorrista 救助人

19. y 20. Vendajes de articulaciones (codo y rodilla)
関節包帯

21. Helicóptero de socorrismo
救助ヘリコプター

22. Socorrismo en carretera
道路での救助

23. Proyector 牽引車

24. Gancho de grúa 牽引機

25. Ambulancia 救急車

¿Dónde está el camping?
1 キャンプ場はどこですか?
2 *Kyanpu-jou wa doko desuka?*

¿Dónde está el vigilante?
1 警備員はどこですか?
2 *Keibi-in wa doko desuka?*

¿Dónde puedo dejar el coche?
1 どこに駐車できますか?
2 *Doko ni chûsya deki masuka?*

Se puede plantar aquí la tienda?
1 ここにテントを張れますか?
2 *Koko-ni tento wo hare masuka?*

¿Cuánto cuesta el alquiler?
1 場所代はいくらですか?
2 *Basyu-dai wa ikura desuka?*

Nos quedaremos durante una semana.
1 一週間滞在するつもりです。
2 *Issyû-kan taizai suru tsumori desu.*

Aquí está mi pasaporte.
1 これが私のパスポートです。
2 *Korega watasi no pasupôto desu.*

¿Dónde están los lavabos?
1 お手洗いはどこですか?
2 *O-tearai wa doko desuka?*

¿Qué corriente tienen?
1 電圧はいくつですか?
2 *Den-atsu wa ikutsu desuka?*

¿Hay duchas?
1 シャワーはありますか?
2 *Syawâ wa doko desuka?*

¿Podemos encender fuego?
1 火を起こしてもかまいませんか?
2 *Hi wo okosite mo kamai-masenka?*

時

¿Dónde podemos comprar las bebidas?
  1 飲み物はどこで買えますか？
  2 *Nomi-mono wa doko de kae-masuka?*

¿Hay algún supermercado cerca de aquí?
  1 この近くにスーパーマーケットはありますか？
  2 *Kono chikaku ni sûpâ-mâketto wa arimasuka?*

¿Dónde podemos comprar gas butano?
  1 ブタンガスはどこで買えますか？
  2 *Butan-gasu wa dokode kae-masuka?*

¿Me puede prestar... por favor?
  1 ...を貸していただけますか？
  2 *...Wo kasite itadake masuka?*

¿Dónde se puede lavar?
  1 どこで洗えますか？
  2 *Dokode arae-masuka?*

¿Es potable el agua?
  1 これは飲料水ですか？
  2 *Kore wa in-ryou-sui desuka?*

El tiempo
時

Un siglo.	1	一世紀。
	2	*Isseiki.*
Un año.	1	一年。
	2	*Ichi-nen.*
El año bisiesto.	1	閏年。
	2	*Urû-dosi.*
El año pasado.	1	去年。
	2	*Kyo-nen.*
El año próximo.	1	来年。
	2	*Rai-nen.*

時

Edad antigua.	1 古代。
	2 *Ko-dai.*
La Era Cristiana.	1 キリスト教時代。
	2 *Kirisuto-kyou jidai.*
La Edad Media.	1 中世。
	2 *Chûsei.*
La Edad Moderna.	1 近代。
	2 *Kindai.*
La Edad Contemporánea.	1 現代。
	2 *Guendai.*
El feudalismo.	1 封権制。
	2 *Fûken-sei.*
El siglo XVIII.	1 18世紀。
	2 *Jûhachi-seiki.*

El año 1585.
1 1585年。
2 *Sen-gohyaku-hachijû-go nen.*

Después, antes de Cristo.
1 紀元前、紀元。
2 *Kiguen-zen, kiguen.*

El calendario.	1 カレンダー。
	2 *Karendâ.*
Un mes.	1 一月。
	2 *Hito-tsuki.*
Un trimestre.	1 三か月。
	2 *San-ka-guetsu.*
Los meses.	1 月。
	2 *Tsuki.*
Mensual.	1 毎月の。
	2 *Maitsuki no.*
Una quincena.	1 半月。
	2 *Han-tsuki.*
Una semana.	1 一週間。
	2 *Issyûkan.*

時

Los meses del año   一年十二月

Enero.
1 1月。
2 *Ichi-gatsu.*
Febrero.
1 2月。
2 *Ni-gatsu.*
Marzo.
1 3月。
2 *San-gatsu.*
Abril.
1 4月。
2 *Si-gatsu.*

Mayo.
1 5月。
2 *Go-gatsu.*
Junio.
1 6月。
2 *Roku-gatsu.*
Julio.
1 7月。
2 *Sichi-gatsu.*
Agosto.
1 8月。
2 *Hachi-gatsu.*

Septiembre.
1 9月。
2 *Ku-gatsu.*
Octubre.
1 10月。
2 *Jû-gatsu.*
Noviembre.
1 11月。
2 *Jûichi-gatsu.*
Diciembre.
1 12月。
2 *Jûni-gatsu.*

Los días de la semana   一週間の曜日

Lunes.
1 月曜日。
2 *Guetsu-youbi*
Martes.
1 火曜日。
2 *Ka-youbi*

Miércoles.
1 水曜日。
2 *Sui-youbi*
Jueves.
1 木曜日。
2 *Moku-youbi,*

Viernes.
1 金曜日。
2 *Kin-youbi*
Sábado.
1 土曜日。
2 *Do-youbi*
Domingo.
1 日曜日。
2 *Nichi-youbi*

Viernes Santo.   1 聖金曜日。
                          2 *Sei kin-youbi.*
Sábado de Gloria.   1 栄光の土曜日。
                          2 *Eikou no do-youbi.*
Domingo de Ramos.   1 枝の主日。
                          2 *Eda no syu-jitsu.*
Día de Navidad.   1 クリスマス。
                          2 *Kurisumasu.*

時

Un día. 1 一日。
2 *Ichi-nichi.*

Un día de fiesta. 1 祭日。
2 *Sai-jitsu.*

Hoy. 1 今日。
2 *Kyou.*

Ayer. 1 昨日。
2 *Kinou.*

Anteayer. 1 一昨日。
2 *Ototoi.*

La víspera. 1 前日、前夜。
2 *Zen-jitsu, zen-ya.*

Mañana. 1 明日。
2 *Asita, asu.*

Pasado mañana. 1 明後日。
2 *Asatte, myougo-nichi.*

Esta mañana. 1 今日の午前中。
2 *Kyou no gozen-chû.*

Esta tarde. 1 今日の午後。
2 *Kyou no gogo.*

El mediodía. 1 正午。
2 *Syou-go.*

La mañana. 1 午前。
2 *Go-zen.*

La tarde. 1 午後。
2 *Gogo.*

La noche. 1 夜。
2 *Yoru.*

Medianoche. 1 真夜中。
2 *Ma-yonaka.*

Esta noche. 1 今夜。
2 *Kon-ya.*

Una hora. 1 一時間。
2 *Ichi-jikan.*

Media hora. 1 半時間。
2 *Han-jikan.*

Un cuarto de hora. 1 15分。
2 *Jûgo-fun.*

Hora y media. 1 一時間半。
2 *Ichi-jikan-han.*

Un minuto. 1 一分。
2 *Ippun.*

Un segundo. 1 一秒。
2 *Ichi-byou.*

La aurora. 1 夜明け。
2 *Yo-ake.*

El crepúsculo. 1 夕暮れ。
2 *Yûgure.*

La puesta del sol. 1 日没。
2 *Nichi-botsu.*

La salida del sol. 1 日の出。
2 *Hinode.*

El tiempo. 1 時。
2 *Toki.*

La hora 時刻

¿Qué hora es?
1 何時ですか？
2 *Nan-ji desuka?*

Hágame el favor de decirme qué hora es.
1 何時か教えていただけますか？
2 *Nan-ji ka osiete itadake masuka?*

Son las dos en punto. 1 ２時ちょうどです。
2 *Ni-ji choudo desu.*

Las dos y cinco minutos. 1 ２時５分です。
2 *Ni-ji go-fun desu.*

Las dos y diez. 1 ２時10分です。
2 *Ni-ji juppun desu.*

Las dos y veinte. 1 ２時20分です。
2 *Ni-ji nijuppun desu.*

時　時間

Las dos y veinticinco. 1 2時25分です。
2 *Ni-ji nijû-go-fun desu.*

Las dos y treinta, las dos y media.
1 2時半です。
2 *Ni-ji han desu.*

Las tres menos cinco. 1 3時5分前です。
2 *San-ji go-fun mae desu.*

Las tres menos veinte. 1 3時20分前です。
2 *San-ji nijuppun mae desu.*

Las tres menos quince, las tres menos cuarto.
1 3時15分前です。
2 *San-ji jû-go-fun mae desu.*

Las tres menos diez. 1 3時10分前です。
2 *San-ji juppun mae desu.*

Las tres menos cinco. 1 3時5分前です。
2 *San-ji go-fun mae desu.*

Van a dar las tres. 1 3時になるところです。
2 *San-ji ni naru tokoro desu.*

Son las tres. 1 3時です。
2 *San-ji desu.*

La una. 1 1時。
2 *Ichi-ji.*

Las dos. 1 2時。
2 *Ni-ji.*

Las tres. 1 3時。
2 *San-ji.*

Las cuatro. 1 4時。
2 *Yo-ji.*

Las cinco. 1 5時。
2 *Go-ji.*

Las seis. 1 6時。
2 *Roku-ji.*

Las siete. 1 7時。
2 *Hichi-ji.*

Las ocho. 1 8時。
2 *Hachi-ji.*

Las nueve. 1 9時。
2 *Ku-ji.*

時　時間

Las diez.	1	10時。
	2	*Jû-ji.*
Las once.	1	11時。
	2	*Jûichi-ji.*
Las doce.	1	12時。
	2	*Jûni-ji.*
Mediodía.	1	正午。
	2	*Syou-go.*
Medianoche.	1	真夜中。
	2	*Ma-yonaka.*
El cuarto.	1	15分。
	2	*Jûgo fun.*
La media.	1	半時間。
	2	*Han-jikan.*
Menos cuarto.	1	15分前。
	2	*Jûgo-fun mae.*
Las agujas.	1	時計の針。
	2	*Tojei no hari.*

Este reloj va bien, va mal.

1 この時計は合っています、間違っています。

2 *Kono tokei wa atte imasu, machigatte imasu.*

Son las nueve
9時です。

Son las once
11時です。

Es mediodía
正午です。

Son las siete menos cuarto de la mañana. *午前7時15分前です。*
Son las siete menos cuarto de la tarde. *午後7時15分前です。*

Son las doce y cuarto
12時15分です。

Es la una y media
1時半です。

Es medianoche
真夜中です。

天気

Reloj de pared, de bolsillo, de pulsera.
1 壁時計、懐中時計、腕時計。
2 *Kabe-dokei, kaichû-dokei, ude-dokei.*
Este reloj va atrasado, va adelantado.
1 この時計はすすんでいます、遅れています。
2 *Kono tokei wa susunde-imasu, okureteimasu.*
Está parado.   1 止まっています。
                  2 *Tomatte imasu.*

Estado del tiempo

天気

**Las estaciones del año son: primavera, verano,
otoño e invierno.**
1 四季は、春、夏、秋、冬です。
2 *Siki wa, haru, natsu, aki, fuyu desu.*
Tiempo lluvioso, húmedo, seco.
1 雨模様、湿気、乾燥。
2 *Ame-moyou, sikke, kansou.*
Calor, frío.   1 暑さ、寒さ。
                  2 *Atsusa, samusa.*
¿Qué tiempo hace?   1 どんな天気ですか？
                        2 *Don-na tenki desuka?*
Hace sol.   1 晴れています。
              2 *Harete imasu.*
No hace sol.   1 晴れていません。
                  2 *Harete imasen.*
Hace frío.   1 寒いです。
               2 *Samui desu.*
Hace calor.   1 暑いです。
                2 *Atsui desu.*
Está lloviendo.   1 雨が降っています。
                     2 *Ame ga futte imasu.*

天気　年齢

Está nevando. 1 雪が降っています。
　　　　　　　　 2 *Yuki ga futte imasu.*
Está helando. 1 凍っています。
　　　　　　　　 2 *Kôtte imasu.*
Hace un tiempo magnífico. 1 素晴しい天気です。
　　　　　　　　　　　　　　 2 *Subarasî tenki desu.*
Frío intenso. 1 厳しい寒さ。
　　　　　　　 2 *Kibisî samusa.*
Calor sofocante. 1 蒸し暑い。
　　　　　　　　　 2 *Musi atsui.*

La edad 年齢

¿Cuántos años tiene usted?
　1 お年は幾つですか？
　2 *Otosi wa oikusjtsu desuka?*
En abril cumpliré treinta, treinta y cinco, treinta y seis, treinta y siete, cuarenta.
　1 この4月で30才、35才、36才、37才、40才になります。
　2 *Kono si-gatsu de sanjussai, sanjûgo-sai, sajûroku-sai, sanjûnana-sai, yonjussai ni narimasu.*
¿Y su padre? 1 お父様は？
　　　　　　　 2 *Otou-sama wa?*
Cincuenta, sesenta, sesenta y ocho, setenta.
　1 50才、60才、68才、70才、になります。
　2 *Gojussai, rokujussai, rokujû-hachi sai, nanajussai, ni narimasu.*
Está en muy buena edad.
　1 とても良い年代ですね。
　2 *Totemo yoi nen-dai desune.*
No representa la edad que tiene.
　1 お年のようには見えません。
　2 *Otosi no youni wa miemasen.*

天気　年齢

Meteorología

天候

1. Lluvia 雨
2. Paraguas 傘
3. Impermeable レインコート
4. Botas de goma ゴム長靴

5. Sol 太陽
6. Nieve 雪
7. Niebla 霧
8. Tormenta 嵐
9. Viento 風

Pronto cumpliré veinte, veinticinco, veintiséis, veintisiete años.
1 もうすぐ20才、25才、26才、27才になります。
2 *Mousugu nijussai, nijûgo-sai, nijûroku-sai, nijûnana-sai ni narimasu.*

数

Es usted muy joven.   1   とてもお若いですね。
　　　　　　　　　　　　2   *Totemo owakai desune.*
Creía que tenía usted más años.
　1   もっとお年かと思っていました。
　2   *Motto otosi kato omotte imasita.*

Los
números

数

Números cardinales, ordinales y fraccionarios.
　1   基数、序数、分数。
　2   *Ki-sû, jo-sû, bun-sû.*
Números cardinales.
　1   基数。
　2   *Ki-sû.*
Uno.   1   一。
　　　　 2   *Ichi.*
Dos.   1   二。
　　　　 2   *Ni.*
Tres.   1   三。
　　　　 2   *San.*
Cuatro.   1   四。
　　　　　 2   *Si.*
Cinco.   1   五。
　　　　　 2   *Go.*
Seis.   1   六。
　　　　 2   *Roku.*
Siete.   1   七。
　　　　 2   *Nana.*
Ocho.   1   八。
　　　　 2   *Hachi.*

数

Nueve.	1	九。
	2	*Kyû.*
Diez.	1	十。
	2	*Jû.*
Once.	1	十一。
	2	*Jû-ichi.*
Doce.	1	十二。
	2	*Jû-ni.*
Trece.	1	十三。
	2	*Jû-san.*
Catorce.	1	十四。
	2	*Jû-si.*
Quince.	1	十五。
	2	*Jû-go.*
Dieciséis.	1	十六。
	2	*jû-roku.*
Diecisiete.	1	十七。
	2	*jû-nana.*
Dieciocho.	1	十八。
	2	*Jû-hachi.*
Diecinueve.	1	十九。
	2	*jû-ku.*
Veinte.	1	二十。
	2	*Nijû.*
Veintiuno.	1	二十一。
	2	*Nijû-ichi.*
Veintidós.	1	二十二。
	2	*Nijû-ni.*
Veintitrés.	1	二十三。
	2	*Nijû-san.*
Treinta.	1	三十。
	2	*Sanjû.*
Cuarenta.	1	四十。
	2	*Yon-jû.*
Cincuenta.	1	五十。
	2	*Go-jû.*

数

Sesenta.   1 六十。
            2 *Roku-jû.*
Setenta.   1 七十。
            2 *Nana-jû.*
Ochenta.   1 八十。
            2 *Hachi-jû.*
Noventa.   1 九十。
            2 *Kyû-jû.*
Ciento.   1 百。
            2 *Hyaku.*
Ciento uno.   1 百一。
               2 *Hyaku-ichi.*
Ciento dos.   1 百二。
               2 *Hyaku-ni.*
Quinientos.   1 五百。
               2 *Go-hyaku.*
Seiscientos.   1 六百。
                2 *Roppyaku.*
Mil.   1 千。
         2 *Sen.*
Dos mil.   1 二千。
            2 *Ni-sen.*
Cien mil.   1 一万。
             2 *Ichi-man.*
Un millón.   1 百万。
              2 *Hyaku-man.*
Dos millones.   1 二百万。
                 2 *Ni-hyaku-man.*
Números ordinales.   1 序数。
                      2 *Jo-sû.*
Primero.   1 一番。
            2 *Ichi ban.*
Segundo.   1 二番。
            2 *Ni ban.*
Tercero.   1 三番。
            2 *San ban.*

数

Cuarto.   1 四番。
        2 *Yon ban.*

Quinto.   1 五番。
        2 *Go ban.*

Sexto.   1 六番。
        2 *Roku ban.*

Séptimo   1 七番。
        2 *Nana-ban.*

Octavo.   1 八番。
        2 *Hachi ban.*

Noveno.   1 九番。
        2 *Kyû ban.*

Décimo.   1 十番。
        2 *Jû ban.*

Undécimo.   1 十一番。
        2 *Jû-ichi ban.*

Duodécimo.   1 十二番。
        2 *Jû-ni ban.*

Decimotercero.   1 十三番。
        2 *Jû-san ban.*

Decimocuarto.   1 十四番。
        2 *Jû-yon ban.*

Decimoquinto.   1 十五番。
        2 *Jû-go ban.*

Decimosexto.   1 十六番。
        2 *Jû-roku ban.*

Decimoséptimo.   1 十七番。
        2 *Jû-nana ban.*

Decimoctavo.   1 十八番。
        2 *Jû-hachi ban.*

Decimonono.   1 十九番。
        2 *Jû-kyû ban.*

Vigésimo.   1 二十番。
        2 *Nijû ban.*

Vigésimo primero.   1 二十一番。
        2 *Nijû-ichi ban.*

数

Trigésimo segundo. 　1 三十二番。
　　　　　　　　　　 2 *Sanjû-ni ban.*
Cuadragésimo. 　1 四十番。
　　　　　　　　 2 *Yonjû-ban.*
Números fraccionarios. 　1 分数。
　　　　　　　　　　　　 2 *Bun-sû.*
Una fracción. 　1 分数。
　　　　　　　 2 *Bun-sû.*
La mitad. 　1 2分の1。
　　　　 2 *Ni-bun no ichi.*
Un tercio. 　1 3分の1。
　　　　 2 *San-bun no ichi.*
Un cuarto. 　1 4分の1。
　　　　 2 *Yon-bun no ichi.*
Un quinto. 　1 5分の1。
　　　　 2 *Go-bun no ichi.*
Un sexto. 　1 6分の1。
　　　　 2 *Roku-bun no ichi.*

Expresiones numéricas　　　　数の表示

Cantidades

10.000	一万。
10.000.000	一千万。
100.000.000	一億。
1.000.000.000.000	一兆。

Las medidas

単位

Medidas de longitud.
1 長さの単位。
2 *Nagasa no tan-i.*

Un milímetro.
1 1ミリ。
2 *Ichi miri.*

Un centímetro.
1 1センチ。
2 *Issenchi.*

Un metro.
1 1メートル。
2 *Ichi mêtoru.*

Un decámetro.
1 1デカメートル。
2 *Ichi deka-mêtoru.*

Un hectómetro.
1 1ヘクトメートル。
2 *Ichi hekuto-mêtoru.*

Un kilómetro.
1 1キロメートル。
2 *Ichi kiro-mêtoru.*

¿Cuántos kilómetros hay entre Tokyo y Osaka?
1 東京と大阪の間は何キロありますか？
2 *Tôkyou to ôsaka no aida wa nan-kiro arimasuka?*

La longitud del próximo puente es de 100 metros.
1 この橋の長さは100メートルです。
2 *Kono hasi no nagasa wa hyaku mêtoru desu.*

Este lienzo mide 140x90 centímetros.
1 このキャンバスは、140センチ×90センチです。
2 *Kono kyan-basu wa hyaku yon-jussenchi kakeru kyû-jussenchi desu.*

Esta habitación mide 4x6 metros.
1 この部屋は、4メートル×6メートルです。
2 *Kono heya wa yon mêtoru kakeru roku mêtoru desu.*

単位

Geometría   幾何

1. El "triángulo egipcio" que
   usaban como escuadra los
   constructores de templos
   神殿建設に使用された
   "エジプト"三角形
2. Pirámide cuadrangular
   ピラミッド
3. Ejemplo de paralelas
   平行の例
4. Medida de un triángulo de
   gran distancia
   長距離三角計の測定
5. Punto 点
6. Línea recta 直線
7. Línea curva 曲線
8. Línea mixta 混合線
9. Línea espiral らせん
10. Ángulo obtuso 鈍角
11. Ángulo recto 直角
12. Ángulo agudo 鋭角
13. Circunferencia 円
14. Secante 割線
15. Diámetro 直径

16. Cuerda 弦
17. Radio 半径
18. Tangente 接線
19. Triángulo equilátero inscrito
    con las tres bisectrices
    正三角形
20. Círculo circunscrito 外接円
21. Triángulo isósceles
    二等辺三角形
22. Triángulo obtusángulo
    circunscrito con las bisectrices
    de los ángulos
    鈍角三角形とその内接円
23. Círculo inscrito 内接円
24. Cuadrado 正方形
25. Rectángulo 長方形
26. Rombo 菱形
27. Trapecio 台形
28. Pentágono regular y su
    trazado 五角形とその作図法
29. Prisma rectangular 四角柱
30. Prisma triangular 三角柱
31. Cilindro 円柱

La carretera es más... ancha, estrecha, corta, que aquella.

1 この道路はあちらより幅広い、狭い、短い。

2 *Kono douro wa achira tori haba-hiroi, semai, mijikai.*

単位

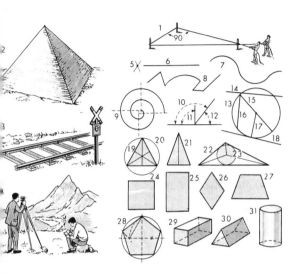

¿Qué largo, ancho, tiene?
1 長さ、幅はどのくらいですか?
2 *Nagasa, haba wa dono kurai desuka?*

Tiene 5 metros de ancho por 7 de largo.
1 幅7メートル、長さ5メートルです。
2 *Haba nana-mêtoru, nagasa go mêtoru desu.*

Medidas de superficie.
1 表面積単位。
2 *Hyou-menseki tan-i.*

Un centímetro cuadrado.
1 1平方センチメートル。
2 *Ichi heihou-senchi-mêtoru.*

Un metro cuadrado.
1 1平方メートル。
2 *Ichi heihou-mêtoru.*

Un kilómetro cuadrado.
1 1平方キロメートル。
2 *Ichi heihou-kiro-mêtoru.*

Un área. 1 1アール。
2 *ichi âru.*

Dos hectáreas. 1 2ヘクタール。
2 *Ni hekutâru.*

Esta habitación tiene 16 metros cuadrados.
1 この部屋は16平方メートルあります。
2 *Kono heya wa jû-roku heihou-mêtoru arimasu.*

¿Cuál es la superficie de esta parcela?
1 この土地区画の面積はどのくらいですか?
2 *Kono tochi kukaku no menseki wa dono kurai desuka?*

Medidas de volumen. 1 体積単位。
2 *Taiseki tan-i.*

El centímetro cúbico. 1 1立法センチメートル。
2 *Ichi rippou-senchi-mêtoru.*

El decímetro cúbico. 1 10立法センチメートル。
2 *Jû rippou senchi mêtoru.*

El metro cúbico. 1 1立法メートル。
2 *Ichi rippou-mêtoru.*

Medidas de capacidad. 1 容量単位。
2 *Youryou tan-i.*

Un litro. 1 1リットル。
2 *Ichi rittoru.*

Un hectolitro. 1 1ヘクトリットル。
2 *Ichi hekuto-rittoru.*

¿Qué capacidad tiene este recipiente?
1 この容器の容量はどのくらいですか?
2 *Kono youki no youryou wa dono kurai desuka?*

Pesos. 1 重量。
2 *Jûryou.*

色

Un gramo.
  1 1グラム。
  2 *Ichi guramu.*
Un kilogramo.
  1 1キログラム。
  2 *Ichi kiro-guramu.*
Una tonelada.
  1 1トン。
  2 *Itton.*
¿Cuánto pesa esto?
  1 これの重さはどのくらいですか？
  2 *Koreno omosa wa dono kurai desuka?*
Un kilo, tres kilos y medio...
  1 1キロ、3キロ半。
  2 *Ichi kiro, san kiro han.*

Los colores

色

Blanco, blanca.
  1 白。
  2 *Siro.*
Negro, negra.
    1 黒。
    2 *Kuro.*

Azul.
  1 青。
  2 *Ao.*
Azul celeste.
    1 水色。
    2 *Mizu-iro.*
Azul marino.
    1 紺。
    2 *Kon.*
Encarnado.
    1 えんじ。
    2 *En-ji.*
Verde.
  1 緑。
  2 *Midori.*

Naranja.   1 オレンジ、だいだい。
               2 *Orenji, daidai.*
Rojo, roja.   1 赤。
               2 *Aka.*
Amarillo, amarilla.   1 黄色。
               2 *Kîro.*
Morado.   1 紫。
               2 *Murasaki.*
Gris.   1 グレー、灰色。
               2 *Gurê, hai-iro.*
Marrón (o castaño).
   1 茶色、栗色。
   2 *Cha-iro, kuri-iro.*
Rosa.   1 ピンク。
               2 *Pinku.*
Claro, clara.   1 明るい。
               2 *Akarui.*
Obscuro, obscura.   1 暗い。
               2 *Kurai.*
Pálido, pálida.   1 薄い。
               2 *Usui.*

El idioma*

言語

Bienvenidos.   1 ようこそ。
               2 *Youkoso.*
Conozco un poco el idioma.
   1 言葉をよく知りません。
   2 *Kotoba wo yoku siri-masen.*

*Véase también p. 233, **Gramática japonesa.**

言語

¿Habla usted español, inglés, francés, alemán?
1 スペイン語、英語、フランス語、ドイツ語を話されますか？
2 *Supein-go, eigo, furansu-go, doitsu-Go wo hanasare masuka?*

Conozco un poco el francés.
1 フランス語を少し話します。
2 *Furansu-go wo sukosi hanasi masu.*

No le comprendo.　　　1 わかりません。
　　　　　　　　　　　　　2 *Wakari-masen.*

¿Qué ha dicho usted?　1 何とおっしゃいましたか？
　　　　　　　　　　　　　2 *Nan-to ossyai masitaka?*

¿Me lo puede escribir?
1 書いていただけますか？
2 *Kaite itadake maska?*

Dígamelo un poco más despacio.
1 もう少しゆっくり言ってください。
2 *Mou-sukosi yukkuri itte kudasai.*

¿Qué quiere usted decir?
1 何をおっしゃいたいのですか？
2 *Nani wo ossyai tai no desuka?*

He oído mal.　　1 聞き違えました。
　　　　　　　　　2 *Kiki-chigae masita.*

¿Qué significa...?　　1 どう言う意味ですか？
　　　　　　　　　　　　2 *Dou-iu imi desuka?*

¿Cómo se escribe?　　1 どう書くのですか？
　　　　　　　　　　　　2 *Dou kaku no desuka?*

¿Cómo se pronuncia?
1 どう発音するのですか？
2 *Dou hatsu-on suru no desuka?*

¿Es usted japonés?　　1 あなたは日本人ですか？
　　　　　　　　　　　　2 *Anata wa nihon-jin desuka?*

¿De dónde es usted?　1 どちらの出身ですか？
　　　　　　　　　　　　2 *Dochira no syussin desuka?*

¿Dónde vive?　　1 どこにお住まいですか？
　　　　　　　　2 *Doko ni osumai desuka?*

Vivo en Barcelona.　1 バルセロナに住んでいます。
　　　　　　　　　　　2 *Baruserona ni sunde imasu.*

¿Qué idiomas conoce usted?
1 何語を話されますか？
2 *Nani-go wo hanasare masuka?*

Soy extranjero.
1 私は外国人です。
2 *Watasi wa gaikoku-jin desu.*

Avisos
注意

Atención.
1 注意
2 *chûi.*

Recién pintado.
1 ペンキ塗り立て。
2 *Penki nuritate.*

Alto. 1 ストップ。
2 *Sutoppu.*

Prohibida la entrada.
1 立ち入り禁止。
2 *Tachi-iri kinsi.*

Prohibido fumar.
1 禁煙。
2 *Kin-en.*

Cerrar la puerta.
1 ドアを閉める。
2 *Doâ wo simeru.*

Empujar la puerta.
1 ドアを押す。
2 *Doâ wo osu.*

Se alquila.
1 貸。
2 *Kasi.*

Libre.
1 空。
2 *Aki.*

Cerrado.
1 閉店。
2 *Hei-ten.*

Aviso.
1 注意。
2 *Chûi.*

言語　注意

Prohibido atravesar la vía.
1 横断禁止。
2 *Oudan-kinsi.*

Prohibido bañarse.
1 水浴禁止。
2 Sui-yoku kin-si.

Salida.
1 出口。
2 *De-guchi.*

Entrada.
1 入口。
2 *Iri-guchi.*

Precio fijo.
1 定価。
2 *Teika.*

Parada.
1 停留所。
2 *Teiryû-jo.*

Llamar.
1 呼び出し。
2 *Yobi-dasi.*

料理

Algunos conceptos típicos
文化と慣習

Los platos típicos

Bola de arroz acompañado de pescado crudo.
1 鮨。
2 *Susi.*
Ración de pescado crudo.
1 刺身。
2 *Sasimi.*
Verduras y mariscos rebozados.
1 天ぷら。
2 *Tempura.*
Bolas de arroz
1 おにぎり。
2 *Oniguiri.*
Estofado de carnes y verduras.
1 すき焼き。
2 *Suki-yaki.*
Carne pasada por agua.
1 しゃぶしゃぶ。
2 *Syabu-syabu.*
Pasta de arroz.
1 もち。
2 *Mochi.*
Fideos integrales
1 そば。
2 *Soba.*
Fideos gruesos.
1 うどん。
2 *Udon.*

料理 飲物

Fideos chinos en caldo.
　1　ラーメン。
　2　*Râmen.*
Barbacoa de pinchos de pollo.
　1　焼き鳥。
　2　*Yaki-tori.*
Crepes salados con carne, verdura o marisco.
　1　お好み焼き。
　2　*okonomi-yaki.*
Ciruelas en sal.
　1　梅干し。
　2　*Umebosi.*
Verduras en adobo
　1　漬け物。
　2　*Tsuke-mono.*
Comida vegetariana basada en la filosofía budisata.
　1　精進料理。
　2　*Syoujin-ryouri.*
Comida para llevar.
　1　お弁当。
　2　*Oben-tou.*

Las bebidas típicas

Licor de arroz.
　1　酒、日本酒。
　2　*Sake, nihon-syu.*
Licor de trigo o patatas.
　1　焼酎。
　2　*Syou-chû.*
Licor de arroz dulce.
　1　甘酒。
　2　*Ama-zake.*

El té y los dulces

Te verde.
1 お茶、緑茶。
2 *Ocha, ryoku-cha.*

Te verde en polvo.
1 抹茶。
2 *Maccha.*

Te verde fresco.
1 新茶。
2 *Sin-cha.*

La ceremonia de té.
1 茶、茶道。
2 *Cha, sadou.*

La caseta de la ceremonia del té.
1 茶室。
2 *Cha-sitsu*

Los dulces japoneses.
1 和菓子。
2 *Wagasi.*

El arte japonés

La arquitectura

Sepulcro antiguo.
1 古墳。
2 *Kofun.*

Templo budista.
1 寺、寺院。
2 *Tera, ji-in.*

Templo sintoista.
1 神社。
2 *Jiin-ja.*

美術

Escultura

Estatua del Buda.
　1 仏像。
　2 *Butsu-zou.*
Linterna de piedra.
　1 灯籠。
　2 *Tou-rou.*

Pintura

Historia ilustrada sobre papel en rollo.
　1 絵巻。
　2 *E-maki.*
Biombo.
　1 屏風。
　2 *Byoubu.*
Pintura a la tinta china.
　1 水墨画。
　2 *Suiboku-ga.*
Xilografía de los temas populares.
　1 浮世絵。
　2 *Ukiyo-e.*
Caligrafía.
　1 書。
　2 *Syo.*

Artesanía

Laca japonesa.
　1 漆。
　2 *Urusi.*
Pinturas de oro y plata sobre laca.
　1 蒔絵。
　2 *Maki-e.*

音楽　演劇

La música y teatro tradicionales

Música ceremonial de la Corte.
 1　雅楽。
 2　*Ga-gaku.*
Música y dansa dedicadas a los dioses del
Sintoismo.
 1　神楽。
 2　*Kagura.*
Teatro tradicional interpretado por los hombres.
 1　歌舞伎。
 2　*Kabuki.*
Teatro humorístico tradicional.
 1　狂言。
 2　*Kyou-guen.*
Musical tradicional .
 1　能。
 2　*Nou.*
Cantos populares.
 1　民謡。
 2　*Min-you.*
Canciones al estilo tradicional.
 1　演歌。
 2　*En-ka.*

Los deportes tradicionales

Lucha tradicional japonesa.
 1　相撲。
 2　*Sumou.*
Luchadores de Sumou.
 1　力士。
 2　*Riki-si.*

スポーツ　祭

Esgrima japonesa.
 1 剣道。
 2 *Ken-dou.*
Tiro con arco.
 1 弓道。
 2 *Kyû-dou.*

Las fiestas típicas

Año nuevo (1de enero).
 1 正月、元旦。
 2 *Syou-gatsu, gan-tan.*
Fiesta del inicio de la primavera (2de febrero).
 1 節分。
 2 *Setsu-bun.*
Fiesta de niñas (3de marzo).
 1 ひな祭。
 2 *Hina-matsuri.*
Fiesta de niños (5 de mayo).
 1 節句。
 2 *Sekku.*
Fiesta de las estrellas (7 de julio).
 1 七夕。
 2 *Tana-bata.*
Fiesta de los difuntos(15 de agosto).
 1 御盆。
 2 *Obon.*
La noche vieja (31 de diciembre).
 1 大晦日。
 2 *Ó-misoka.*

Algunas expresiones útiles.

Adelante, por favor.
1 どうぞ。
2 *Douzo*.

Se utiliza esta expresión para ofrecer algo, también para invitar a alguna acción.

Mucho gusto, recuerdos a....
1 よろしく。
2 *Yorosiku*.

Literalmente significa *un trato positivo*, se utiliza en principio de las relaciones personales para expresar el deseo a que esta relación sea buena y duradera. También para dar recuerdos a otras personas.

Agradecido a la comida.
1 いただきます。
2 *Itadakimasu*.

Se dice esta frase antes de empezar a comer, expresando el agredecimiento hacia toda la circunstancia por la que la comida y los conmesales estén en la mesa.

1 ごちそうさま。
2 *Gochisou-sama*.

Lo mismo para después de comer.

文法

La gramática japonesa
日本語文法

Índice

Introducción

El japonés es un idioma antiguo cuyo origen todavía no se ha determinado. Aprender este idioma no es fácil ya que posee una estructura totalmente diferente a la de las lenguas románicas como el español. Pero su pronunciación es relativamente fácil y es posible desarrollar conversaciones sabiendo lo más básico del idioma.

El habla

El japonés estándar está basado en el habla tokionesa; por eso, los habitantes de otras regiones suelen hablar en dialectos o tienen una pronunciación diferente.

La escritura japonesa: los tres alfabetos

Hay tres alfabetos que se utilizan simultáneamente: el hiragana, el katakana y los kanjis. Mientras los dos primeros son alfabetos silábicos, los kanjis son ideogramas. Para escribir correctamente es imprescindible dominar los casi mil ideogramas establecidos para el uso común. Además, cada uno de estos tres alfabetos tiene una función específica dentro de la escritura japonesa.

Esta complejidad de la escritura japonesa se debe al desarrollo que en principio tuvo el japonés como idioma oral sin una escritura propia. Cuando entraron en contacto con la cultura china, los japoneses adoptaron su escritura basada en ideogramas (kanjis). A partir de la simplificación de los kanjis hacia el siglo X, nacen los dos alfabetos silábicos hiragana y katakana. Después de la Segunda Guerra Mundial el katakana se reserva para escribir las palabras introducidas directamente de idiomas extranjeros. (Por ejemplo del inglés door : 1 ドアー 2 *Doâ.*)

文法　発音

La pronunciación

La pronunciación japonesa es relativamente sencilla. Los que hablan español no suelen tener demasiadas dificultades, dado que las cinco vocales españolas corresponden a las cinco vocales japonesas. Sólo hay que tener cuidado con algunas consonantes que no tienen su equivalente en español. (En los esquemas siguientes están señaladas en negrita.)

H- Como la h inglesa en hello, happy.

R- En japonés no existe la distinción entre r y l,

W- Es un sonido entre u y o.

J- Como la y española en yate.

Consonantes dobles: son indicadas con "っ" y se pronuncian haciendo una brevísima pausa.

Ej. 1 ゆっくり 2 Yukkuri (lentamente).

Alfabeto
ひらがな-hiragana

あ	a	い	i	う	u	え	e	お	o
か	ka	き	ki	く	ku	け	ke	こ	ko
さ	sa	し	si	す	su	せ	se	そ	so
た	ta	ち	chi	つ	**tsu**	て	te	と	to
な	na	に	ni	ぬ	nu	ね	ne	の	no
は	**ha**	ひ	**hi**	ふ	fu	へ	**he**	ほ	**ho**
ま	ma	み	mi	む	mu	め	me	も	mo
や	ya			ゆ	yu			よ	yo
ら	**ra**	り	**ri**	る	**ru**	れ	**re**	ろ	**ro**
ん	n								
が	ga	ぎ	gui	ぐ	gu	げ	gue	ご	go
ざ	**za**	じ	**ji**	ぞ	**zu**	ぜ	**ze**	ぞ	**zo**
だ	da	ぢ	**ji**	づ	**zu**	で	de	ど	do
ば	ba	び	bi	ぶ	bu	べ	be	ぼ	bo
ぱ	pa	ぴ	pi	ぷ	pu	ぺ	pe	ぽ	po
きゃ	kya			きゅ	kyu			きょ	kyo
しゃ	sya			しゃ	syu			しょ	syo
にゃ	nya			にゅ	nyu			にょ	nyo
みゃ	mya			みゅ	myu			みょ	myo
りゃ	rya			りゅ	ryu			りょ	ryo
ぎゃ	gya			ぎゅ	gyu			ぎょ	gyo
じゃ	jya			じゅ	jyu			じょ	jyo
びゃ	bya			びゅ	byu			びょ	byo
ぴゃ	pya			ぴゅ	pyu			ぴょ	pyo

文法 文字

Alfabeto
かたかな-katakana

ア a	イ i	ウ u	エ e	オ o
カ ka	キ ki	ク ku	ケ ke	コ ko
サ sa	シ si	ス su	セ se	ソ so
タ ta	チ chi	ツ **tsu**	テ te	ト to
ナ na	ニ ni	ヌ nu	ネ ne	ノ no
ハ **ha**	ヒ **hi**	フ fu	ヘ **he**	ホ **ho**
マ ma	ミ mi	ム mu	メ me	モ mo
ヤ ya		ユ yu		ヨ yo
ラ ra	リ ri	ル ru	レ re	ロ ro
ン n				
ガ ga	ギ gui	グ gu	ゲ gue	ゴ go
ザ **za**	ジ **ji**	ズ **zu**	ゼ **ze**	ゾ **zo**
ダ da	ヂ **ji**	ヅ **zu**	デ de	ド do
バ ba	ビ bi	ブ bu	ベ be	ボ bo
パ pa	ピ pi	プ pu	ペ pe	ポ po
キャ kya		キュ kyu		キョ kyo
シャ sya		シュ syu		ショ syo
ニャ nya		ニュ nyu		ニョ nyo
ミャ mya		ミュ myu		ミョ myo
リャ rya		リュ ryu		リョ ryo
ギャ gya		ギュ gyu		ギョ gyo
ジャ jya		ジュ jyu		ジョ jyo
ビャ bya		ビュ byu		びょ byo
ピャ pyo		ピュ pyu		ぴょ pyo

246   Gramática. Orden de la frase. El nombre

文法 文の構成 名詞

Gramática.

La gramática japonesa es muy compleja y es imposible resumirla en pocas páginas, por lo que señalaremos los elementos imprescindibles para saber cómo funciona este idioma.

El orden de la frase

El orden básico de la frase es *sujeto+objeto+verbo*. Las palabras se escriben sin separación entre sí, y son las posiciones - elemento muy peculiar del idioma japonés - las que separan un componente de la frase del otro, e indican la función que desempeña cada palabra en la frase. (Ver apartado de la **posposición y su importancia en el japonés** p.249) Como el caso del español, el sujeto es frecuentemente suprimido, sobre todo cuando se trata de un pronombre personal.

El nombre (sustantivo)

Los nombres japoneses se pueden dividir en tres grupos según su origen etimológico, que determina también el alfabeto con el que se escribe la palabra.

A) **1** 和語 **2** *wago*: palabras de origen japonés.

Se escriben en un solo ideograma o en hiragana
(ej. **1** 犬 **2** *inu* : perro).

B) **1** 漢語 **2** *kango*: palabras de origen chino.

Sin excepción se escriben con los kanjis
(ej. **1** 果実 **2** *kajitu* : fruta).

文法　名詞　単数、複数

C) 1 外来語 2 *gairaigo*: palabras introducidas de idiomas extranjeros. Se escriben en katakana (1 レモン 2 *remon* : limón). Los casos excepcionales son algunas palabras de origen portugués u holandés que fueron introducidas al japonés durante la Edad Media (ej. 1 たばこ 2 *tabako*: tabaco).

El artículo

En japonés no hay artículos, los nombres se determinan por el sentido que éstos tengan en la frase.

Singular y plural

No existe una norma general para expresar el plural de los sustantivos. Éste se indica añadiendo:

A) un adverbio de cantidad.

algunos	1	いくつかの
	2	*ikutsuka-no*
muchos	1	たくさんの
	2	*takusan-no*

B) sustantivo + un sufijo de cantidad.

1) 1...達. 2 ...*Tachi*

ej. El niño　　1 子供　　2 *Kodomo*
　　Los niños　1 子供達　2 *Kodomo-tachi.*

2) 1...等. 2 ...*Ra*

ej. Él　　1 彼　　2 *Kare*
　　Ellos　1 彼等　2 *Karera*

Género

Los nombres japoneses no tienen género, por ejemplo, la palabra amigo: **1** 友達 **2** *tomodachi,* se entiende tanto amigo como amiga. Sólo se indican cuando es necesario, utilizando los prefijos que determinan el género. Éstos prefijos son los siguientes.

	Prefijo masculino	Prefijo femenino
para los nombres de origen japonés (wago)	男 *otoko* ej. Amigo 　1 男友達 　2 *otoko-tomodachi*	女 *on-na* ej. Amiga 　1 女友達 　2 *on-na-tomodachi*
para los nombres de origen chino (kango)	男　*dan* ej. Actor 　1 男優 2 *dan-yû*	女 *jo* ej. Actriz 　1 女優 2 *jo-yû*
para los animales	雄 *osu/o/on* ej. Gallo 　1 雄鶏 2 *on-dori*	雌 *mesu/me/men* ej. Gallina 　1 雌鶏 2 *men-dori*

El adjetivo

Todos los adjetivos japoneses terminan en I. Hay que tener en cuenta las características siguientes:

A) Son invariables independientemente del género o del número.

B) Cuando desempeñan una función atributiva de los nombres, van delante de los nombres y se les añade **na** al final.

C) Cuando desempeñan una función predicativa se conjugan igual que los verbos.

*Ver **tabla de conjugación 2 adjetivos** P.254.

文法　動詞　助詞

El verbo

El verbo japonés no es complicado, todos los verbos japoneses terminan en **RU** o **U** en su forma infinitiva, y sólo cuentan con dos verbos irregulares.

En cuanto a los tiempos verbales, sólo una forma de expresar el pasado y el modo presente se usa también para expresar el futuro.

Las peculiaridades a tener en cuenta son las siguientes: En primer lugar, los verbos japoneses no se conjugan según la persona del sujeto como el caso del español. Su conjugación depende del sentido de la frase. En segundo lugar, en cada modo existen dos posibles terminaciones, una formal y otra informal.

*Ver **tabla de conjugación 1 verbos** P.254.

La posposicion y su importancia en el idioma japonés.

La posposición es un componente muy importante y peculiar de este idioma. Éstas se colocan después de los sustantivos y determinan su función dentro de la frase. Según la posposición que le siga, un sustantivo se entiende como sujeto, objeto, posesión del mismo sustantivo o como un adverbio (igual que ocurre en español con los sustantivos precedidos de preposiciones). A continuación señalamos las principales posposiciones y su función o funciones (algunas posposiciones tienen varias funciones):

A) が **ga**

Posposición de sujeto

Yo soy López.　　　1 私がロペスです。
　　　　　　　　　2 *Watasi ga Lópe desu.*

Él hace la cena.　　1 彼が夕食を作ります。
　　　　　　　　　2 *Kare ga yûsyoku wo tsukurimasu.*

| Este melón está bueno. | 1 このメロンがおいしいです。 |
| | 2 *Kono meron ga oisiidesu.* |

B) は *wa*

Posposición de sujeto

| Mi padre es profesor. | 1 父は教師です。 |
| | 2 *Chichi wa kyousi desu.* |

C) に *ni*

Posposición de objeto indirecto

Vamos a regalar este bolso a Hanako.
1 花子さんに鞄をプレゼントしましょう。
2 *Hanako-san ni kaban wo purezento simasyou.*

Posposición de complemento circunstancial de tiempo.

| Salgo a las ocho. | 1 八時に出かけます。 |
| | 2 *Hachi-ji ni demasu.* |

Posposición de complemento circunstancial de lugar.

| He dejado la cartera en casa. | 1 家に財布を忘れました。 |
| | 2 *Ie ni saifu wo wasure-masita.* |

D) へ *e*

Posposición de complemento circunstancial de lugar (referido exclusivamente a dirección)

| Voy a Ósaka. | 1 大阪へ行きます。 |
| | 2 *Ósaka e iki masu.* |

E) で *de*

Posposición de complemento circunstancial de lugar

| Hablemos en la cafetería. | 1 喫茶店で話しましょう。 |
| | 2 *Kissa-en de hanasi masyou.* |

posposición de complemento circunstancial de modo.

Regreso en autobús.
1 バスで帰ります。
2 Basu de kaeri masu.

F) を wo
Posposición de objeto directo

Quiero comprar unas manzanas.
1 りんごを買いたい。
2 Ringo wo kaitai.

G) が no
Posposición de posesión

Mi libro.
1 私の本。
2 Watasi no hon.

El cuadro de Miró.
1 ミロの絵
2 Miro no e.

H) と to
Posposición de compañía.

Vivo con mi hermana
1 妹と住んでいます。
2 Imouto to sunde imasu.

Frases interrogativas

Las interrogativas que se responden con sí o con no, se forman añadiendo *ka* al final de la frase normal.

Frase normal:

Me gustan las manzanas.
1 りんごは好きです。
2 Ringo wa suki desu.

Frase interrogativa:

¿Te gustan las manzanas?   1 りんごは好きですか？

                              2 *Ringo wa suki desu-ka?*

Los pronombres interrogativos se colocan en principio de la frase, y al final se añade *ka*. Éstos pronombres son los siguientes:

dónde	1 どこ	2 *doko*	
cuándo	1 いつ	2 *itsu*	
quién	1 誰	2 *dare*	
cómo	1 どのように	2 *donoyouni*	
por qué	1 なぜ	2 *naze*	

ej. ¿Dónde vas?   1 どこへ行きますか？

                      2 **Doko** *e iki masu-***ka***?

El signo de interrogación es el mismo que en español. Al final de una frase interrogativa, hay que subir el tono.

Interjeccion

En el japonés, las interjecciones no sólo se utilizan para expresar los sentimientos sino también añaden pequeños matices a las frases. A continuación señalamos las más usadas en la conversación.

1 なあに？ 2 *Nâni?*: ¿qué?.

1 ええと 2 *êto*: pues.

1 そう 2 *Sô*: es decir...

1 そうですね 2 *Sô-desune*:Tiene razón.

文法　感嘆詞

1 ね　2 *ne*: ¿no? Añadido al final de la frase, convierte la
　　　　　　　 frase en una afirmación suave.

1 もしもし　2 *mosi-mosi*: ¿diga? Y ¿oiga? El preludio para
　　　　　　　　　　　 una conversación telefónica.

TABLA 1 CONJUGACION DE LOS VERBOS

VERBOS QUE TERMINAN EN RU
Ej. Deru salir

	Presente	Pasado	Imperativo
afirmativo informal	de-ru	de-ta	de-ro
afirmativo formal	de-masu	de-masita	de-tekudasai
negativo informal	de-nai	de-nakatta	de-runa
negativo formal	de-masen	de-masendesita	de-naidekudasai

VERBOS QUE TERMINAN EN U
Ej. Kaku escribir

	Presente	Pasado	Imperativo
afirmativo informal	ka-ku	ka-ita	ka-ke
afirmativo formal	iki-masu	ka-kimasita	ka-itekudasai
negativo informal	ka-kanai	ka-anakatta	ka-kuna
negativo formal	ka-kimasen	ka-kimasendesita	ka-kanaidekudasai

VERBOS IRRGULARES
Kuru venir

	Presente	Pasado	Imperativo
afirmativo informal	ku-ru	ki-ta	koi
afirmativo formal	ki-masu	ki-masita	ki-tekudasai
negativo informal	ko-nai	ko-nakatta	ku-runa
negativo formal	ki-masen	ki-masendesita	ko-naidekudasai

Suru hacer

	Presente	Pasado	Imperativo
afirmativo informal	su-ru	si-ta	si-ro
afirmativo formal	si-masu	si-masita	si-tekudasai
negativo informal	si-nai	si-nakatta	su-runa
negativo formal	si-masen	si-masendesita	si-naidekudasai

TABLA 2 CONJUGACION DE LOS ADJETIVOS

	Presente	Pasado
afirmativo informal	samu-ku	samu-kattta
afirmativo formal	samu-idesu	samu-idesita

Condicional presente	Condicional pasado	Desiderativo	Voz pasiva
de-reba	de-tara	de-tai	de-rareru
de-masureba	de-masitara	de-taidesu	de-raremasu
de-nakereba	de-nakattara	de-takunai	de-rarenai
de-masennaraba	de-masendesitara	de-takunaidesu	de-raremasen
ka-keba	ka-itara	ka-kitai	ka-kareru
kaki-masureba	ka-kimasitara	ka-kitaidesu	ka-karemasu
ka-kanakereba	ka-kanakattara	ka-kitakunai	ka-karenai
ka-kimasen-naraba	ka-kimasendesitara	ka-kitakunaidesu	ka-karemasen
ku-reba	ki-tara	ki-tai	korareru
ki-masureba	ki-masitara	ki-taidesu	koraremasu
ko-nakereba	ko-nakattara	ki-takunai	korarenai
ki-masen-naraba	ki-masendesitara	ki-takunaidesu	koraremasun
sureba	sitara	si-tai	sareru
simasureba	simasitara	si-taidesu	saremasu
sinakereba	sinakattara	si-takunai	sarenai
simasen-naraba	si-masendesitara	si-takunaidesu	saremasen

Condicional presente	Condicional pasado		
samu-kereba	samu-kattara		

El arte en Japón

Si resumimos el arte japonés diciendo que es un arte religioso, ceremonial, amante de la naturaleza que refleja en sus paisajes con tintes espirituales, líricos y contemplativos, popular y levemente irónico, habríamos caído en un simplismo ciertamente, pero no hubiéramos hecho más que servirnos de los mismos medios que usa el arte japonés: la simplicidad, los trazos necesarios y las líneas sugeridoras.

El arte japonés empezó siendo religioso, budista esencialmente y sintoísta, pero bien pronto reflejó otras coordinadas distintas: verismo, amor a la naturaleza, independencia de toda influencia exterior, capacidad para expresar la belleza, con expresión lírica, sentimental y graciosa a base de escasos elementos tanto en la arquitectura como en la pintura.

La historia del Japón es milenaria, sin solución de continuidad, con unos rasgos comunes que evolucionan y se modifican pero no se destruyen. Y con un arte, cambiante y modificador, pero sin la tragedia de la destrucción y la vuelta a empezar. Diríase que es como un rollo que se desenvuelve y a medida que desaparecen unas escenas se crean otras que mejoran o modifican las anteriores y conviven con ellas. Por eso que nada mejor que dividir esta larguísima historia japonesa en períodos, a través de los cuales veremos el desarrollo de su arte:

Período asuka (540-645). Se introduce el budismo a través de Corea. Los primeros predicadores budistas, de origen chino, llegaron a las islas el año 522. Con su doctrina introdujeron también un nuevo modo de

pensar y sentir la vida, pero sobre todo un estilo arquitectónico, el de las primeras pagodas, de silueta tan
característica, con sus tejados volados y su decoración peculiar y dominante como el monasterio de
Horyuji, cerca de Nara; y una producción estatuaria
religiosa de influencia china en bronce y en madera.

Período Nara (645-794). Destaca principalmente la
arquitectura en construcciones complejas pero de
sobria decoración como el Todaiji de Nara. En escultura se usan los metales preciosos en estatuas de
estilo solemne.

Período Heian y Fijiwara (794-1186). Durante este
período el arte se vuelve refinado, de gusto exquisito,
con caracteres propiamente nacionales. La arquitectura tiende a fundirse armónicamente con el paisaje,
adaptándose a la naturaleza y a la variedad del terreno. Los palacios de los grandes feudatarios se desa-
rrollan más en cuanto a superficie que en altura dentro
de un ambiente pintoresco con estanques y jardines.
La decoración es rica en metal, laca y marfil. Los templos (pagodas) son de planta asimétrica en contacto
directo con la naturaleza, de varios pisos, voladas
techumbres, adornadas ménsulas de elaborada car-
pintería y anchos aleros. La escultura abandona el realismo para volcarse en una actitud espiritual; se prefie-
re la madera de ciprés para estatuas elegantes, delicadas y armoniosas. Aparecen los primeros abanicos
con finas y delicadas pinturas. La pintura, en general,
es simbólica, fantástica y vivamente decorativa.

Período kamakura (1186-1340). La actividad artística de este período se centra en torno a Kyoto. Se
libera de la influencia cortesana del período anterior al
introducirse la secta budista zen, china, y chinas son

las influencias de la escultura como en el *gran Buda* de Kamakura y las figurillas que sirven de vehículo para la meditación zen. Las pagodas son más simples y de planta más regular. En pintura se desarrolla el *makemono*, ilustraciones en un largo rótulo inserto en los textos literarios.

Período muromachi (1340-1573). El arte sigue girando en torno a la influencia zen. Se busca el placer espiritual mediante una meditada interpretación de la realidad, estudiadas ceremonias (rito del té) y una arquitectura a juego con la jardinería, que participan de la visión de conjunto, como el jardín sin plantas con sólo rocas y grava blanca de Kyoto. La escultura se mantiene fiel a los módulos tradicionales cada vez más convencionales y adquieren importancia las máscaras teatrales. En pintura se introducen los cuadros en blanco y negro, realzándose los monocromos paisajes que se perfeccionan con difuminado y la mancha, así se logran preciosos paisajes nevados y crepúsculos de bellas tonalidades.

Período momoyama (1573-1610). Es un período de luchas feudales y de contacto con los misioneros europeos, que introducen la influencia occidental, que se manifiesta en la construcción de castillos y fortalezas (castillos de Osaka y Nagoya). La escultura se vuelca hacia la decoración arquitectónica y la construcción de esculturas de marfil y porcelana. La pintura se vuelve decorativa y suntuosa.

Período tokugawa (1610-1868). Se distingue el gusto arquitectónico de esta época por la decoración exuberante y excesiva. E igualmente la escultura, dotada de un realismo vivaz y humorístico. La pintura amplía su campo de acción y se entrega además a la decoración de puertas, muebles y lámparas conservando su valor poético, pero también se desvía hacia la xilografía creando estampas decorativas con escenas de género, adquiriendo un carácter popular que en Occidente fue muy admirado. Recordemos que en 1853 el almirante Perry insistió en que el Mikado escuchase la propuesta norteamericana de abrir las puertas del imperio a las naciones de Occidente.

Arquitectura japonesa

Material preferido: la madera.

Forma típica heredada del budismo.

Ságomas curvas.

Ménsulas y revestimientos, policromos.

Libre acceso
al aire y a la luz.

Tejado de
característico
perfil curvilíneo.

Toril, puerta o
pórtico en figura
de doble T.

Esquema de una construcción típica japonesa.

Aquellos paisajes sugeridores, aquellas flores y pájaros de sencillos trazos y perfecta ejecución, aquellas figuras femeninas gráciles y vaporosas, cautivaron a los impresionistas. Y la sencillez de *La ola* de Hokusai, por ejemplo, o los grabados del género *ukiyo-e* (pintura de la vida) fueron del gusto de la sociedad europea.

TÓKIO

Asakusa Kannon (Budista)

HIRAIZUMI

Chūsonji (Budista)

TÓKIO

Meiji (Sintoísta)

UJIYAMADA

Gran Santuario de Ise (Sintoísta)

KAMAKURA

Kamakura Daibutsu (Budista)

TAISHA

Izumo Taisha (Sintoísta)

NIKKO

Tōshōgu (Sintoísta)

HIROSHIMA

Itsukushima (Sintoísta)

KIOTO

Heian (Sintoísta)

Kenninji (Budista)

Kiyomizu-dera (Budista)

Ginkakuji (Budista)

Kōryūji (Budista)

Kinkakuji (Budista)

NARA

Tōshōdaiji (Budista)

Kōryūji (Budista)

Tōdaiji (Budista)

Yakushiji (Budista)

Kasuna (Sintoísta)

Byōdō-in (Budista)

Durante los siglos XIX y XX el arte japonés recoge la influencia de las corrientes occidentales y las de la tradición secular. Pero aquellas se imponen sobre todo en la segunda mitad del siglo XX.

* * *

La arquitectura japonesa es más naturalista que sus hermanas orientales, la india y la china. Éstas son rnás aisladas y desprovistas del entorno natural. En cambio la arquitectura japonesa no tiene sentido sin el hermoso jardín, los cerezos, el lago, la piedra, el paisaje evocador. Y es a la vez más cautivadora, a la que importan menos las proporciones y el tamaño, para lo cual la revisten de todos los accesorios que la hagan más atrayente. Lo que pierde en técnica constructiva, lo gana en la impresión del conjunto y en la ascesis del espíritu.

* * *

La escultura de los Budas es casi siempre monumental. En ella no puede buscarse la elegancia de líneas, ni la perfeccionista ejecución, ni el modelado de los elementos constructivos. Mas, con todo, su naturalismo realista, la naturalidad de una figura común en una pose mil veces repetida, sus ritmos lineales, encuentran en el espectador la aceptación más ardiente, aunque no en el entusiasmo que despierta la obra de arte pura y enajenada de su significación religiosa.

* * *

La pintura japonesa alcanzó metas como ninguna otra manifestación artística. En ella destacan los ambientes paisajísticos, los motivos naturalistas, la creación de ambientes íntimos con figuras femeninas de suaves líneas y rebuscadas posiciones para acrecentar la impresión del movimiento. Ricas de color, de dibujo simple, de acción sencilla y de temática atrayente y diversificada, la pintura japonesa gozó de grandes simpatías en Occidente, aunque siempre fueron tenidas como exóticas, dignas de coleccionar pero no de imitar. Es que el clasicismo tiene su geografía.

Lengua. Historia

Por desconocerse su origen y relaciones con otras lenguas del mundo, se la incluye en el grupo de las no clasificadas. Ya de antiguo se hizo patente en el Japón la existencia de dos lenguas: la literaria o escrita y la hablada o vulgar, que se hacía necesario aprender por separado. El japonés moderno es el resultado de una fusión y adaptación de ambas, aunque con notable predominio de la hablada. Particularidad de la escritura japonesa es el hecho de disponer de dos alfabetos, ambos de origen chino: el *hiragana*, que tiene 50 caracteres, y el *katakana*, con 47; el más sencillo es este último, que es el adaptado a las máquinas de escribir. La escritura japonesa comprende, además, el uso de los *ideogramas*, signos importados de China, que lo mismo pueden representar conceptos reales que abstractos. Su número es enorme, calculándose en 3.000 o 4.000 los que suele conocer una persona de cultura media. Los ideogramas se leen de tres maneras: respetando la fonética china, adaptándolos a la fonética japonesa o *traduciéndolos* al japonés. Se puede escribir de arriba a abajo, de derecha a izquierda aunque en el presente se tiene tendencia a escribir uniformemente de izquierda a derecha. Otra curiosidad del japonés, nacida sin duda de la ceremoniosidad de este pueblo, es la existencia de dos lenguajes: uno que se usa cuando se trata entre iguales en edad o jerarquía, y que tiene la particularidad de presentar variaciones según sea hombre o mujer el que lo emplea; y otro de respeto, empleado con los ancianos, superiores y desconocidos.

Turismo

Las notables bellezas naturales y las interesantes reliquias históricas y culturales que ofrece un país que lleva tras sí tantos siglos de historia, convierten al Japón en un lugar de gran atractivo turístico, al que llegan anualmente más de medio millón de visitantes extranjeros. Existen actualmente 23 parques nacionales y 30 semiparques también nacionales, donde se protege la fauna y la flora natural en paisajes que contienen volcanes, lagos, ríos, sectores de la costa con sus islas y promontorios y valles de una variada y espléndida vegetación. Se han creado, además, los llamados «lugares reservados», reducidas extensiones de terreno donde se protege a determinadas rocas, plantas o animales utilizadas a veces para experimentaciones biológicas. Más de mil monumentos históricos y culturales se encuentran difundidos por, casi todo el país siendo especialmente famosas en este aspecto las ciudades de Nara, Kyoto, Tokio, Nikko y Kamakura.

Japón: síntesis de su historia

Período arcaico (?-552)

660 a. J. C.
Jimmu-Tenno, personaje legendario descendiente de la diosa Amaterasu, funda la dinastía de emperadores y conquista la isla de Honshu, venciendo a los ainos, pueblo indígena de la misma.

120 a. J. C.
Se funda el imperio Yamato que culturalmente depende de China.

Período Asuka (552-710)

Adopción de la escritura china; introducción del budismo por Kimmei (552); lucha entre budistas; y defensores del sintoísmo nacional, en la que vencen los primeros.

654-710
Época de gobierno inspirado en el sistema chino.

Período Nara (710-794)

La fusión del sintoísmo con el budismo marca una señalada influencia de este último.

Aparece una nobleza de funcionarios *(kuge)* y de guerreros *(buke)*.

Período Heian (794-1191)
capital: Kyoto

La familia Fujiwara (967-1068) toma el poder, en tanto que el emperador ostenta sólo una autoridad honorífica como descendiente de los antiguos dioses de la mitología sintoísta.

Se interrumpen las relaciones entre China y Japón (fines del siglo IX) y empieza a desarrollarse una civilización japonesa con características propias.

Rivalidades entre las familias imperiales Taira y Minamoto para conseguir el poder del ejército. Gana la familia de los Minamoto en la batalla de Danno-Ura (1185).

Período Kamakura (1191-1333)

Minamoto Yoritomo se hace nombrar shogún, funda el shogunato (gobierno supremo del imperio) de Kamakura y establece su corte en esta ciudad. En tanto que el Mikado o Tenno (emperador) será el soberano por derecho divino, el shogún era el que ejercía en realidad el poder. Nace el régimen feudal que debía durar hasta 1868.

La familia Hojo (1219-1333) adquiere la dignidad hereditaria de la regencia, que perdura hasta 1281. Durante este período los mongoles son rechazados por los samurais (jefes militares japoneses).

Período Muromachi o Ashikaga (1333-1568)
Capitales: Kyoto y Yoshino

Shogunato de los Ashikaga (las capitales del mikado son Kyoto y Yoshino). En 1392 el shogún Yoshimitsu crea dos nuevos dignatarios, lo que provoca una guerra civil entre las familias de la nobleza que dura 150 años. La autoridad central del Estado desaparece casi por completo; en la jerarquía social muchos miembros de la antigua nobleza son sustituidos por nuevas familias: los Daimios se declaran príncipes hereditarios hacia 1500; se constituye la casta guerrera de los samurais; los

compromisos de honor se solventan mediante el
suicidio, conforme al ceremonial del *harakiri;* se
tiende a fomentar una cultura específicamente
japonesa; la «ceremonia del té» adquiere especial
relieve y se practican ritos secretos de inspiración
sintoísta.

1543
Méndez Pinto redescubre el Japón; se introduce en
el país el uso de las armas de fuego.

1549
Llegada de San Francisco Javier y fundación de las
primeras misiones jesuitas.

Período Azuchi Momoyama (1568-1600)

Período de transición: guerras civiles entre clanes
locales.

Oda Nobunaga (1534-1582), llamado el *Atila japonés,* partidario del poder imperial, vence en 1573 al
último shogún Ashikaga.

Siguen los disturbios hasta que Hideyoshi Toyotomi
(1535-1598) consigue derrocar la hegemonía de
los Daimios e instituye una nueva política con cinco
Tairos (representantes del shogún) y cinco *Bagios*
(administradores imperiales).

1592-1598
Campaña militar en Corea.

Período Edo o Tokugawa (1600-1868)

Iyeyasu Tokugawa (1542-1616) vence al sucesor
de Hideyoshi en la batalla de Sekigahara (1600),
procede a un nuevo reparto de los feudos y crea un
cuerpo de policía estatal.

Shogunato de los Tokugawa (capital en Tokio, Edo).

Se cierran las puertas al mundo exterior, situación que perdura hasta mediados del siglo XIX. Sólo a los holandeses se les permite mantener sus almacenes en Deshima.

En el interior continúa el régimen feudal. A fines del siglo XVII y principios del XVIII se manifiesta un auge cultural, especialmente en teatro y poesía.

Durante el mandato de Iyeharu (1760-1786) declina el poder del shogunato y se produce un movimiento nacional sintoísta partidario del culto al emperador.

1853-1854
Una escuadra norteamericana, al mando del comodoro Perry, llega al Japón con el propósito de establecer relaciones comerciales. Se firma el tratado de Kanagawa por el que los japoneses abren dos puertos a Estados Unidos. Siguen luego tratados comerciales con otras potencias de Europa.

1862
Reacciones xenófobas sofocadas por bombardeos de los puertos nipones, lo que determina que el shogunato pierda el poco prestigio que aún le quedaba.

1867
Revolución imperial que culmina con la abdicación de Yoshinobu, el último shogún.

Período Meiji (1868-1912)

Con el emperador Mutsu-Hito (1868-1912) se restablece el poder imperial, quedando suprimido el shogunato. Se inicia una política de modernización y acercamiento a las potencias occidentales que pronto cristaliza con resultados espectaculares; queda eliminado por completo el poder feudal. El emperador ejerce el poder absoluto hasta 1889. La población experimenta un rápido crecimiento; importantes familias controlan la banca, el comercio y la industria; los militares propugnan una política de expansión imperialista.

1869
Publicación del «programa de la nueva Era».

1871-1872
Sustitución de los feudos por distritos administrativos; asimilación de la ciencia y técnica europeas; reorganización del Ejército; servicio militar obligatorio; construcción de ferrocarriles y otras vías de comunicación, enseñanza obligatoria, reformas financieras (creación del Banco del Japón), legislativas, postales, etc.

1876
Ocupación de los archipiélagos Bonin y Riukiu.

1877
Se disuelve la casta de los samurais.

1884
Creación de un senado compuesto por la nobleza.

1855
El emperador nombra un primer ministro.

1889
Se promulga la primera Constitución y se instaura una monarquía representativa hereditaria. Las ciudades gozan de autonomía administrativa.

1894-1895
Guerra chino-japonesa, Victoria del Japón, que obtiene, por el tratado de Shimonoseki, Formosa y

las islas Pescadores, así como la independencia de Corea bajo protectorado nipón.

1904-1905
Guerra ruso-japonesa. Es derrotada la flota rusa y por el tratado de Portsmouth Japón obtiene Port-Arthur (Lü-ta), el S. de la isla Sajalín y la ocupación de Corea.

1907
Tratados de amistad con Rusia y Francia. Se limita la inmigración nipona a Norteamérica.

1910
Anexión de Corea.

Período Taisho (1912-1926)

Yoshi-Hito (1912-1926) sucede al emperador Mut-su-Hito con el nombre de Taisho.

1914-1918
Durante la I Guerra Mundial se declara partidario de los aliados (según el pacto anglo-japonés de 1902), aunque no interviene en las operaciones bélicas de Europa. Al término de la guerra refuerza su armada y su flota mercante.

1919
Japón se convierte en la tercera potencia naval del mundo.

1921
Es asesinado el primer ministro Hara (Takashi).

1924
Norteamérica prohíbe la inmigración de japoneses a su país, lo que enfría las relaciones entre ambas naciones.

1925

Se establece el sufragio universal (sólo para los hombres).

Período Showa (1926-1989)

Muere el emperador Yoshi-Hito y le sucede su hijo Hiro-Hito (Showa).

Descontento popular ante la corrupción administrativa y financiera que hace temer un movimiento obrero organizado. Represión y censura.

El Ejército se opone a las corrientes democráticas y propugna una política marcadamente nacionalista.

1931-1932

Ocupación de Manchuria y creación del Estado de Manchukúo.

1933

Japón se retira de la Sociedad de Naciones.

Es ocupado Jehol (Norte de China) e incorporado a Manchukúo. Progresiva infiltración nipona en China.

1937

Fracasa el intento del primer ministro Konoye Fumimaro (1891-1945) para controlar el Ejército.

Incidente del puente de Marco Polo en Pekín que decide la guerra chino-japonesa (1937-1945).

1938

China es prácticamente ocupada por el Japón y éste instala en Nankín el llamado *gobierno central chino*, de inspiración nipona.

El gobierno independiente chino se establece en Chungking.

El primer ministro Konoye impone el «orden nuevo» en Extremo Oriente.

1940
Disolución de los partidos políticos; creación del partido único.

Ocupación militar de Indochina.

*Pacto tripartito (*Alemania, Italia, Japón).

1941
Tratado de amistad con la U.R.S.S.

Estados Unidos exige la retirada de las tropas niponas de China e Indochina; Japón rechaza la petición, bombardea la flota norteamericana en Pearl Harbor y declara, al día siguiente, la guerra a Estados Unidos. Tojo (1941-1944), primer ministro y jefe del Estado Mayor de la armada de Kuang Tong.

1945
Tras el lanzamiento de las bombas atómicas sobre Hiroshima y Nagasaki, que pusieron fin al último capítulo de la II Guerra Mundial, el Japón firma la rendición incondicional (2 de septiembre).

1945-1952
Ocupación norteamericana bajo el mando del general MacArthur. Proceso contra los crímenes de guerra.

1946
El emperador Hiro-Hito promulga la nueva Constitución bajo inspiración norteamericana, de carácter liberal (monarquía parlamentaria hereditaria).

1951

Tratado de San Francisco: Japón pierde las posesiones adquiridas desde 1854.

1952

Tratado de paz con Estados Unidos, Filipinas y China Nacionalista.

Se retiran las tropas de ocupación, pero Estados Unidos mantiene bases militares.

Japón recobra su soberanía.

1953

Estados Unidos restituye las islas Amami y Osumi del archipiélago Riukiu.

1955

Hatoyama, primer ministro (reformas fiscales y administrativas).

1956

Termina el estado de guerra con la U.R.S.S. (la U.R.S.S. había declarado la guerra al Japón dos días antes de que este capitulase el 10 de agosto de 1945).

Nace el príncipe heredero Naru-Hito.

1968

Estados Unidos devuelven al Japón las islas Bonín, Volcano y Ogasawara.

1970

Feria Mundial de Osaka.

1972

EE.UU. devuelven al Japón la isla de Okinawa y el resto de las Ryukyu.

Período Heisei (1989-)

1989

El 7 de enero fallece el emperador Hiro-Hito; le sucede en el trono su hijo Akihito quien, siguiendo la tradición japonesa, adopta para su reinado el nombre de era o período «Heisei» (cumplimiento de la paz).

1990

En noviembre, coronación del emperador Akihito.

Dare - Quién?

Nani - Qe?

Vocabulario vulgar

Damonoda - Bastardo

NOTAS

NOTAS

NOTAS

NOTAS

NOTAS

NOTAS